Meu Sol de Primavera

QUEREN ANE

Meu Sol de Primavera

MUNDO CRISTÃO

Copyright © 2024 por Queren Ane da Silva de Souza Arcas

Todos os direitos reservados e protegidos pela Lei 9.610, de 19/02/1998.

É expressamente proibida a reprodução total ou parcial deste livro, por quaisquer meios (eletrônicos, mecânicos, fotográficos, gravação e outros), sem prévia autorização, por escrito, da editora.

Edição
Daniel Faria

Revisão
Ana Luiza Ferreira

Produção e diagramação
Felipe Marques

Colaboração
Raquel Carvalho Pudo
Raquel Xavier

Ilustração de capa
Ana Bizuti

Capa
Jonatas Belan

CIP-Brasil. Catalogação na publicação
Sindicato Nacional dos Editores de Livros, RJ

A586m

    Ane, Queren
      Meu sol de primavera / Queren Ane. - 1. ed. - São Paulo : Mundo Cristão, 2024.
      304 p.

      ISBN 978-65-5988-284-7

      1. Literatura infantojuvenil cristã. 2. Literatura infantojuvenil brasileira. I. Título.

23-87131   CDD: 808.899282
                                      CDU: 82-93(81)

Meri Gleice Rodrigues de Souza - Bibliotecária - CRB-7/6439

Publicado no Brasil com todos os direitos reservados por:
Editora Mundo Cristão
Rua Antônio Carlos Tacconi, 69
São Paulo, SP, Brasil
CEP 04810-020
Telefone: (11) 2127-4147
www.mundocristao.com.br

Categoria: Literatura
1ª edição: janeiro de 2024 | 3ª reimpressão: 2024

Para as garotas que estão na primavera.

Que esta história possa aproximá-las

daquele que as faz florescer.

Sumário

Nota da autora — 9
Meu sol de primavera — 13
Agradecimentos — 299
Sobre a autora — 301

Nota da autora

Nunca imaginei que uma mesma história pudesse me acompanhar por tanto tempo. Se eu contar que caminho com a Chér há quase oito anos, você acreditaria? A história dessa garota de cabelos cacheados surgiu em minha vida logo após o nascimento de meu primogênito, Benjamin. Escrevi o primeiro rascunho enquanto o amamentava de madrugada e descobria todo um novo mundo à minha frente.

No primeiro rascunho, eu ainda escrevia despretensiosamente, sem grandes objetivos e propósitos claros. Queria tão somente contar experiências que vivi na adolescência como garota cristã. Não esperava que a fé fosse permear minha escrita. Ao finalizar o livro, porém, percebi que se tratava de um romance cristão. A história, ainda carente de lapidação, foi publicada gratuitamente em uma plataforma de leitura. Foi uma surpresa ver a Chér ser tão bem recebida por milhares de garotas, que me escreviam longos comentários e testemunhos. Já naquela época, Deus começou a me mostrar o que aquela história poderia se tornar. Fiz amigas-leitoras e discipulei dezenas de meninas. Jamais poderia imaginar que Deus pudesse tocar tantas vidas por meio de uma história de ficção.

Como todo escritor que sonha ver sua obra em formato impresso, dois anos depois lancei a versão física do livro através de uma editora. E, de 2018 a 2021, vivi uma jornada diferente com a Chér. Em meio a momentos alegres e tristes, entendi de fato o que era ser uma escritora de ficção cristã, incluindo a responsabilidade e o privilégio de contar histórias que aproximem leitores do Senhor.

Apesar de amar a história da Chér e de testemunhar como o Senhor a usava para alcançar tantas meninas, lá no fundinho do coração eu sentia uma tristeza. Aquele era um rascunho bruto, que precisava de refinamento. Deus sabia o quanto o texto me incomodava. Eu sentia que havia publicado a história antes do tempo, ainda que o Senhor, com sua graça e misericórdia, tenha recebido e usado para sua glória aquilo que eu julgava como fracasso. Na verdade, descobri anos mais tarde que eu não havia fracassado, apenas era uma escritora imatura e que precisava mostrar compaixão a mim mesma e à minha jornada.

Quando entendi que era tempo de dar um passo para trás, eu o fiz em oração e obediência. No início de 2022, retirei meus livros de circulação a fim de reescrevê-los. Muitos não entenderam minha decisão, mas eu sabia o que estava fazendo, embora não fizesse ideia do lugar aonde aquela escolha ousada me levaria: bem aqui, escrevendo esta nota para o livro publicado pela Mundo Cristão.

Será que estou chorando enquanto escrevo?

Dar um passo para trás, recalcular a rota e reconstruir foi a direção que recebi do Senhor e a persegui com alegria. Reescrever uma história é muito trabalhoso. Exige coragem, determinação e perseverança. Eu tinha tudo isso e uma motivação preciosa: o desejo de glorificar o Senhor com minha criação, tornando a história de Chér um melhor referencial para as garotas cristãs.

Assim, levei um ano reescrevendo e editando o livro. Em segredo, mas não sozinha. Além do Senhor, que não me deixava desistir quando os dias eram difíceis, contei com a ajuda de amigas encorajadoras e de vocês, leitores que sempre surgiam com mensagens no Instagram, e-mails e testemunhos contando como a história da Chér havia sido importante e instrumento de Deus em suas vidas.

Quando o trabalho estava quase finalizado, Deus operou um grande milagre: a publicação de *Corajosas* pela Mundo Cristão. Que momento único, inesperado e fabuloso eu vivi com minhas amigas, as coautoras do livro! E, como se não fosse o bastante, a editora aceitou ler a nova versão da história da Chér e, para minha completa surpresa, logo o manuscrito foi aprovado.

Confesso que, por mais que tivesse trabalhado para entregar uma história melhor, não imaginava que ela pudesse ser publicada por uma das maiores editoras cristãs do Brasil. Mais uma vez, Deus agiu. Não tenho palavras suficientes para expressar o quanto sou grata ao Senhor por tudo o que ele tem feito e à editora Mundo Cristão por me receber na casa com tanta alegria e carinho. Que honra fazer parte do time!

Quis registrar aqui parte desta história para que você, leitor mais antigo da Chér, entenda minhas motivações. Sou grata por todo o apoio que recebi de vocês ao longo dos anos e por terem abraçado minha decisão de recolher a Chér para mim com o intuito de reapresentá-la em uma versão mais bem acabada.

Esta nova história — e as próximas que virão! — é fruto de oração e de um coração que deseja servir às garotas cristãs por meio da literatura. Não posso me esquivar de alertar que a história contém cenas capazes de despertar memórias ruins e sentimentos difíceis em algumas leitoras, mas oro e desejo, do fundo do coração, que a jornada da Chér ensine, cure, transforme e aproxime vocês do Senhor. Que possam andar sempre na verdade, confiando em quem Deus é e no que ele diz a seu respeito. Que possam florescer em Cristo nesta primavera da vida.

Com carinho,

Queren Ane Arcas

Meu Sol de Primavera

— 1 —
Esse tal de amor

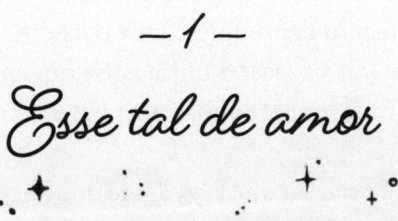

Dizem que existe amor à primeira vista. No meu caso, deve ter sido depois da vigésima ou trigésima vista. Não sei bem. Aliás, as pessoas conseguem saber isso de verdade? O momento exato em que trocam olhares e o coração acelera como um trem desgovernado dentro do peito? Eu não consigo dizer com certeza o instante em que tudo mudou. Desde que o vi não tive olhos para mais ninguém. Ele ocupou tanto os meus pensamentos que quando me dei conta já estava apaixonada.

Talvez tenham sido os olhos azuis ou o sorriso travesso. Quem sabe o porte atlético ou a maneira com que ele joga o cabelo loiro para o lado com tanto charme. O jeito descolado, o gingado no andar, o timbre grave da voz, o cheiro gostoso do perfume... ou até mesmo a mania que ele tem de lamber os lábios toda vez que fala. Como está fazendo agora ao conversar e rir com seus amigos do outro lado da sala de aula. É bem provável que tenham sido essas coisas, e tantas outras que nem consigo mencionar, que fizeram que eu me apaixonasse por ele.

Adoro tudo sobre Zack.

Bem... quase tudo.

O que detesto é o fato de meu amor ser unilateral e ele ter namorada.

Por que minha vida amorosa tinha de ser tão trágica?

Solto um suspiro deprimido com a bochecha pressionada na cadeira cinza e volto a fazer a única coisa que posso em relação a Zack: admirar de longe. Sonhar, suspirar e sofrer. Exatamente nessa ordem.

Na verdade, é tudo o que faço desde que Zack foi transferido para o meu colégio há um ano e eu me encantei por ele. Por ser tão tímida e travada em relação aos meninos, não tive coragem de pedir para ficar com o garoto quando ainda estava solteiro — além do fato de eu ainda ser bv — e assim tive de ver o Zack ser fisgado por outra. Sou patética, eu sei.

Brenda, uma aluna do outro primeiro ano, e Zack saíram por três meses até anunciarem o namoro. Foi o início dos dias mais deprimentes da minha vida. Ter de vê-los pelo colégio, rindo, se abraçando, se beijando quebrou o meu coração. Doía mais por ele estar com Brenda, uma das garotas mais insuportáveis do colégio, e também uma das mais bonitas. Eu podia até ser mais divertida e legal que ela, apesar de Zack não saber disso, afinal nunca tivemos a chance de nos conhecer melhor. Agora, em questão de beleza, comparada a Brenda eu sou uma lagarta enquanto ela é uma borboleta.

Fora a personalidade, ela tem tudo que eu gostaria de ter. Os cabelos lisos até a cintura, e não esses meus cachos que tento domar todo santo dia. É magra do jeito certo, sem a barriga de ondinhas que eu ostento. Os seios são volumosos, enquanto os meus são como pequenos limões em desenvolvimento. Pareço uma tábua de frente e atrás carrego a montanha do Pão de Açúcar. Odeio meu traseiro porque fica sempre em evidência, não importa a roupa que eu coloque.

Além disso, luto contra as odiosas espinhas que insistem em brotar e manchar minha pele morena. Já Brenda tem o rosto de porcelana perfeito. Fica muito difícil ser vista por um garoto quando Brenda está na jogada. Perdi mesmo sem estar de fato competindo. E eu queria muito ter sido notada por Zack, que ele me visse de verdade e falássemos algo mais que "me empresta seu apontador?" ou "tem uma borracha de sobra?".

É ridículo essas serem as únicas interações que eu tive com o garoto de que eu gosto.

Quer dizer, houve um breve momento em que tivemos um contato mais próximo — e ele habita nos meus sonhos desde então. Zack estava com seu grupo de amigos na entrada da sala e eu, o desastre ambulante, ao passar por eles tropecei e me escorei no braço musculoso do garoto. Foi um grande mico? Foi. Quase desmaiei? Sim, porém foi sublime ter Zack tão perto de mim.

Lembro-me dos detalhes daquela manhã de quarta-feira. O bíceps dele... *Ai, ai!* A voz grave, o perfume forte que ele usa, o rosto luminoso com olhos que me encaravam com curiosidade e uma pitada de diversão... Fiquei tão abalada pela proximidade de Zack que até gaguejei — outro mico — ao agradecer. Tive a sorte de ver o garoto piscar todo charmoso para mim, antes de eu entrar apressada e feito uma boba para dentro da sala de aula tropeçando nos próprios pés.

Depois disso, eu sonhava acordada à espera do dia em que seu olhar cativante, seu sorriso letal, seus beijos e abraços fossem meus. E aí Brenda surgiu como um maremoto e destruiu meu castelinho de sonhos. Quer dizer, mais ou menos. Porque, como dizem, a esperança é a última... você sabe o resto.

Então, continuo aqui esperando pelo dia em que Zack finalmente termine com Brenda. Isso porque o relacionamento deles parece ioiô, indo e vindo. Ele já rompeu com ela um par de vezes, mas Brenda vive implorando para voltar. A garota não consegue deixá-lo ir e fez isso com todos os ex-namorados. Seus relacionamentos não terminam até que ela dite o fim. Não é amor, é puro capricho. Zack merece mais. E eu queria ser a pessoa que pudesse mostrar a ele o que é o amor de verdade.

Será que algum dia terei essa chance?

— 2 —
Seria minha chance?

— Rochelle!

A professora Cláudia dá um berro me tirando dos meus devaneios.

E, sim, esse é o meu nome, e, não, eu não gosto dele nem um pouco.

O que minha mãe tinha na cabeça para me colocar esse nome ridículo?

— Rochelle Dubois Oliveira Cavalcante!

Ela torna a me chamar e usa meu nome completo, como se houvesse outra Rochelle na turma. Meu rosto esquenta como toda vez. Além de um nome feio, tenho um sobrenome francês para lá de estranho que me rendeu apelidos idiotas ao longo dos anos escolares.

Escuto as risadinhas e não olho para nenhum dos colegas de classe, muito menos na direção de Zack, quando arrasto os pés por entre as cadeiras do corredor, até me encontrar diante da mesa atolada de papéis da professora. Por cima do nariz de batata, ela empurra para trás os óculos de armação marrom e me lança um olhar reprovador através das lentes fundas.

— Não foi bem na prova, Rochelle, de novo — a professora Cláudia informa com decepção na voz e estende a folha de papel em minha direção.

Pego apressada e analiso a prova... *Ah, não!*

— Se não melhorar suas notas no próximo bimestre você ficará de recuperação nas férias.

A palavra "recuperação" significa muitas coisas para mim. A primeira: recuperação no meio do ano é um horror. Todo mundo de férias e você na escola. A segunda: meus pais iriam me matar, é claro. E a terceira, a mais importante: diga adeus à viagem nas férias de julho com as amigas. O que me leva ao fato de que Bruna e Pilar iriam me matar também.

Tenho um pescoço em jogo e uma viagem programada, não posso ficar de recuperação.

— Quatro, professora? — Miro o teste com minha nota em vermelho dentro de um círculo torto. — A senhora tem certeza de que corrigiu direito? Poxa, quatro é muito ruim. Nem um pontinho a mais, hein? — insisto com um sorriso teatral. Tentar uma pressão de leve nos professores é sempre a primeira opção após uma nota baixa.

— Se eu revisar sua prova de novo, Rochelle, é bem capaz de sua nota diminuir. É isso *mesmo* — ela frisa sem me encarar. — Que você quer?

É, a pressão não funcionou e ainda podia piorar.

— Er... nada. Quatro está ótimo — falo com os ombros caídos.

— Estude, Rochelle — a professora Cláudia adverte. — E muito, se não quiser ficar de recuperação. Agora vá se sentar. — E me dispensa com um gesto de mão.

Analisando a prova vergonhosa, retorno para meu lugar e guardo a avaliação dentro do caderno.

Quatro está se tornando meu número de azar. Primeiro no teste e agora na prova. Matemática é um completo horror! E essa é a terceira nota baixa desta semana. Não posso vacilar no segundo bimestre ou vou ficar de recuperação. Então, adeus férias! Preciso de um milagre, porque tenho de tirar dez nas próximas avaliações de matemática para ficar na média. Dez! Estou muito encrencada. Gemo com essa constatação.

Como vou me tornar um gênio de um mês para o outro?

De volta à cadeira, pego o celular e o escondo dentro do livro de matemática a fim de enviar uma mensagem para o grupo com minhas amigas.

> Chér: Adivinha quem tomou bomba em matemática? (emojis chorando)
> Bruna: Isso que dá não estudar. Foi de quanto a bomba?
> Chér: Olha, eu vim pedir consolo, viu? Não sermão.
> Pilar: Zerou?
> Chér: Não humilha tbm, né Pilar. Tirei 4.
> Pilar: De novo?
> Chér: Foi (emojis tristes)
> Bruna: Você sabe que vai precisar gabaritar as provas do segundo bimestre, né?
> Chér: Bruna, você é chata (me consola, caramba!).
> Bruna: Tadinha de você, amiga. Lamento muito o fato de você não ter estudado.
> Chér: Vou te excluir do grupo.
> Bruna: Você sempre diz isso quando falo as verdades hehe ;P
> Chér: Você é insensível, sua ogra.
> Bruna: CHÉR SE VOCÊ FICAR DE RECUPERAÇÃO EU VOU TE MATAR! Você não é maluca de ir para a recuperação, amiga. Temos uma viagem juntas. Nada pode estragar nossos planos. Dê seu jeito e fique com média azul. Me ouviu? ME OUVIU?

> Chér: Estou me sentindo estapeada por mensagens :(
> Pega leve, Bruh. Eu vou me esforçar muuuito!
> Bruna: É lógico que vai. Pode ir se inscrever nas aulas de reforço lá na biblioteca.

Faço careta. Não gosto das aulas de reforço. É tedioso ter de ficar na escola depois do horário de saída. E o pior é que o monitor tem um bafo nojento e sempre fala cuspindo, igual ao irmão Dionísio lá da igreja. Ninguém merece.

> Chér: Amiga, não faz isso comigo. Me dá outra opção, não quero ter de aturar o Sr. Bafinho.
> Chér: Queria tanto que nós estivéssemos na mesma turma. Era tão mais fácil pra mim :(

Foi terrível começar o primeiro ano do ensino médio longe das minhas melhores amigas. Pilar, Bruna e eu estudamos juntas desde a quinta série do fundamental. E foi naquela época que formamos um laço de amizade que vai além dos muros do colégio. Somos um trio inseparável, elas são as irmãs que eu nunca tive. Amava quando estávamos as três na mesma turma... tudo bem que falávamos pelos cotovelos e os professores nos separavam, mas até isso era divertido porque eu tinha as duas perto de mim.

Agora estou só. Sem ninguém para papear, sem as maluquices de Pilar ou as broncas de Bruna e sua ajuda nos exercícios. É uma pena a coordenadora ter perdido a cabeça e feito sorteio para montar as turmas este ano. Que azar justo eu ter ficado separada das meninas.

O celular vibra e volto a ler as mensagens no grupo:

> Bruna: Chér, olha, não precisa fazer as aulas com o Bafinho. O Dinho começou a dar aulas de reforço com

o Luciano. O grupo de estudos se reúne após as aulas na biblioteca.

Dinho é um garoto do segundo ano, muito inteligente e adora exatas, e é o novo rolo de Bruna. Luciano é amigo do Dinho, um garoto legal também. Desde que Bruna começou a sair com Dinho nas férias, os garotos vivem perto de nós e, de vez em quando, se sentam conosco nos intervalos.

Minha amiga me escreve:

Bruna: Já falei com o Dinho, amiga. Ele disse que coloca você no grupo. Basta procurá-lo depois.

Respondo com um "okay". Trocamos mais algumas mensagens até que saímos do zap.

Desanimada, afundo a cabeça no caderno e espero as horas passarem.

Quando o sinal bate, arrumo o material sem a pressa costumeira porque estou desanimada com a ideia de recuperação e todo o esforço que precisarei fazer para conquistar boas notas. Fecho o zíper da mochila e penso em ir embora direto para casa e não assistir ao treino de futebol, mas assim que o motivo das minhas idas aos treinos passa por mim meu coração dá um solavanco e recupero rapidinho a vontade de ir para a arquibancada.

Zack caminha com seus amigos, a mochila num ombro e o par de chuteiras pendurado no outro.

Eu o acompanho de longe até a quadra de futebol, que fica atrás do prédio central do colégio. Perco Zack de vista assim que ele entra no vestiário com os outros jogadores do time. Dou a volta na quadra com a mão em concha sobre os olhos para escapar do sol. Como de costume, outros estudantes estão espalhados pelo lugar, mas nenhum sinal de Pilar. Enquanto subo até o último degrau lembro que minha amiga contou que havia marcado de ficar com o Vicente, seu novo ficante, antes do jogo. Então, ela ainda vai demorar uns bons minutos.

Sentada na área coberta, coloco meus fones e escuto a playlist que me faz pensar em Zack.

Quase quinze minutos depois, a voz melodiosa da Taylor Swift com "Lover" enche meus ouvidos conforme eu observo os garotos entrando uniformizados na quadra. Zack pula nas costas de Diego, seu melhor amigo, e gargalha, talvez de algo que tenha ouvido.

Como um garoto podia ficar mais bonito de uniforme eu não sei dizer. Há outros meninos bonitos no time oficial do colégio? Sim! Eles me interessam? Não. Zack é o único. O único que eu gosto de ver se exercitar, correr atrás da bola, suar, fazer gol e vibrar. O único que eu desejo beijar e namorar. O garoto com quem sonho ficar de casal, de mãos dadas, viver um lindo romance... *Ai!* O único que é dono de todos os meus suspiros apaixonados e sofridos.

Se ele me visse, se prestasse atenção em mim... nem que fosse só um pouquinho...

— Chér!

Escuto a voz de Pilar no instante em que noto Vicente entrar atrasado na quadra lá embaixo. Apressada, minha amiga vai subindo o lance de escadas pulando os degraus de dois em dois. Suas bochechas estão vermelhas e os cabelos curtos grudam no pescoço suado. Ela está sorrindo largo e suas covinhas despontam quando se materializa à minha frente e escorrega sua mochila para o chão de qualquer jeito.

Pilar é tão linda. É mais baixa que eu, tem a pele branquinha e sempre fica vermelha quando ri, chora ou sente qualquer outra emoção forte. Semana passada ela cortou os fios pretos na altura do queixo e pintou a franja de rosa, o que a deixou mais fofa e com ar romântico.

Pilar e eu somos muito parecidas no jeito de ser. Ela é a amiga com quem posso contar para todas as horas. Bruna também é, mas nós vivemos nos estranhando aqui e ali. Com Pilar não, somos quase gêmeas. É por causa disso que Pilar é minha amiga número um, mas nem ela e Bruna sabem disso, óbvio.

— Chér, você não sabe do babado! — Pilar fala movendo as mãos toda agitada. Seus olhos castanhos brilham de empolgação.

— Ainda bem que você tá sentada, amiga! — E solta um risinho meio maluco.

Fico curiosa.

— Fala logo — peço afoita.

Ela molha os lábios cor de cereja como se saboreasse a informação que está prestes a compartilhar. E conta de uma vez:

— Zack terminou de vez com a Brenda.

— 3 —
Pronta... ou quase

— Quê? — pergunto apertando as sobrancelhas.
— Vicente acabou de me contar. Eles terminaram, amiga. E sabe o que isso quer dizer, né?

Meu coração se afunda em súbita excitação, mas logo a frustração cai sobre mim como chuva em dia ensolarado quando lembro que essa não é a primeira vez que Zack e Brenda rompem.

— Tá. Eles terminaram. Semana que vem estão de volta como sempre, Pilar — comento com tristeza soprando um cacho do meu nariz.

— Não, amiga. Pelo que Vicente me falou, Zack comentou que não volta nunca mais com "aquela doida". — Ela faz aspas com os dedos como se indicasse que as palavras não são dela. — E... — Pilar frisa com a voz e me instiga com o olhar como que para demonstrar que essa parte é importante. — ... foi Zack quem terminou. Parece que Brenda implorou, mas ele deu o pé nela de vez.

Isso é mesmo... sério?

— Eles terminaram? De vez? — Ouço a minha própria voz sussurrada e cheia de incredulidade misturada a emoção.

O garoto de que eu gosto está mesmo livre?

— Pode se alegrar, amiga, porque essa é sua hora. — Pilar sacode meu ombro com tanta euforia.

Ainda estou assimilando a notícia. Depressa pego o celular para entrar no Instagram. Preciso de provas do término deles porque eu já passei por essa situação antes. Ficava toda feliz, cheia de esperança, para uma semana depois ver os dois juntos de novo.

— O que você está fazendo? — Pilar pergunta ao se sentar ao meu lado.

— Entrando no perfil do Zack para ter certeza de que ele tá solteiro — respondo, sem tirar os olhos da tela. — Não quero me alegrar por nada.

— Queridinha, eu fiz o trabalho completo. Quem você acha que eu sou? — Pilar brinca fazendo cara de ofendida. — Veja aí com os próprios olhos então.

Estou vendo. O perfil do Zack foi atualizado com sucesso. Na bio já deparo com um *"single man"* e meu grito fica entalado na garganta implorando para sair. No feed apenas fotos dele, com os amigos e os pitbulls que ele adora. Nenhuma sombra de que um dia Brenda esteve por ali.

Não acredito!

— Ele está mesmo solteiro! — falo alto para mim mesma. — Aii! — solto um gritinho batucando os pés no chão. A adrenalina percorre todo meu corpo. É como se eu tivesse acabado de correr uma maratona. — Aii, Pilar!

— Eu sei, amiga, eu sei. — Pilar dá tapinhas amigáveis no meu ombro. Damos risadas. — Diz se eu não sou a melhor amiga de todas? Trouxe a notícia fresquinha pra você e, olha, ninguém no colégio ainda tá sabendo, segundo o Vicente — ela se gaba jogando a franja rosa para o lado.

— É lógico que você é a melhor! — Eu a puxo para um abraço de urso. — Obrigada, Pilar.

— Chér, você precisa aproveitar essa vantagem para ficar com Zack, porque assim que a galera souber que o garoto mais cobiçado do São Pedro está disponível, já viu. — Pilar me alerta sacando seu iPhone do bolso e teclando depressa. — Já deixei a Bruna ciente da novidade.

Pilar tem razão. Não vai demorar para o colégio descobrir o término de Zack e Brenda. Em breve essa notícia será postada no Fórum da SP, um perfil no Twitter administrado por alunos que expõem tudo o que acontece no colégio, desde calendário de provas a fofocas quentes. E a recente solteirice de Zack é uma baita fofoca quente.

Imaginar a fila de meninas circulando em torno dele revira meu estômago.

Dar meu primeiro beijo e namorar com Zack é tudo o que mais desejo no mundo. Não posso perder minha chance pela segunda vez. Ao mesmo tempo, não sei como fazer Zack e eu acontecer. Isso me frustra. Fantasiar é uma coisa e, além do mais, na imaginação, é sempre ele quem se declara e me beija. A realidade é bem diferente. Ele mal deve saber que eu existo. Preciso que Zack me note.

— Pilar, preciso fazer Zack me enxergar — comento preocupada roendo a unha do dedão ao observar os garotos correndo de um lado para o outro atrás da bola.

— Pede logo pra ficar com ele, Chér — Pilar aconselha. — Sem aquelas suas neuras de "ai, eu tenho vergonha" — ela me parafraseia com uma vozinha infantil. — Se você quiser posso falar com Vicente e ele fala com Zack que você quer ficar com ele.

— Não sei... — digo cheia de incerteza.

— Não sabe o quê? — A voz de Pilar sai um pouco estridente. Ela se ajeita para me encarar melhor.

— É que eu não gostaria só de pedir pra ficar com ele assim do nada, sabe. Tipo, sem uma aproximação antes. Espero mais que um beijo no corredorzinho atrás da biblioteca. Eu quero namorar com ele, Pilar — confesso o que ela já sabe. Meu coração aperta com o sentimento bom. — Desejo que ele pense em mim, que sonhe comigo, que não me esqueça como esquece todas as outras com que ele ficou. Entendeu?

Pilar dá um aceno de cabeça como se dissesse que compreende.

— Eu só não sei como chegar ao x da questão. Sem falar que Zack acabou de terminar com Brenda. Não posso pedir pra ficar com o garoto tão rápido assim. Deve existir uma regra sobre esperar a poeira do término passar, né? — pergunto para minha amiga porque ela é bem mais entendida no assunto que eu. — Não devo parecer tão desesperada, embora eu esteja, e também ele pode dizer não porque acabou de sair de um relacionamento. Talvez leve um tempo até ele se abrir de novo e, por isso, quero que ele me conheça primeiro — tagarelo minhas inseguranças.

— Olha, amiga — Pilar fala com seu tom maternal. — Essa coisa de esperar um tempo após o término depende muito de como a pessoa saiu do último relacionamento e tal. E no caso do Zack, vai por mim, ele saiu bem. Estava na cara havia meses que ele não tinha mais interesse na Brenda. Ela só o prendeu porque não quis sair por baixo.

— Eu sei.

— Eu te apoio para pedir pra ficar com ele, tipo hoje se você quiser, mas entendo o seu lado e também te dou muita força se quiser investir em uma aproximação primeiro. Só não pode demorar para dar as investidas, viu? Nada de ficar enrolando com suas bobeiras como no ano passado — ela aponta o dedo em riste para mim me encarando com um olhar acusador.

— Ai, Pilar — choramingo e escondo o rosto com as mãos.
— Eu sou tão inexperiente, não faço ideia de como me aproximar dele de um jeito casual. Fora que só a ideia já me dá vontade de vomitar. Como eu faço? — Começo a me sentir ansiosa e o estômago embrulha de verdade.

— Sorte sua que você me tem, amiga. — Pilar dá uma risadinha e circula meus ombros com um braço cheio de carinho. — Fica tranquila que eu vou ajudar você. O plano "conquistando o crush" vai começar! — Pilar move a mão pelo ar com uma expressão teatral, no estilo abertura de programa de tevê. Eu me acabo de rir.

— Você não existe, amiga.

— Eu sou um manual da conquista em pessoa, Chér, você sabe. Tenho todas as dicas de que você precisa — Pilar me lança uma piscadela espertalhona.

Amo ter essa garota na minha vida.

— Não sei o que faria sem você, Pilar — confesso pressionando minha bochecha em seu ombro.

— Eu sei que eu sou o máximo — ela se gaba com seu lindo sorriso de covinhas. — Assim que conversarmos com Bruna, vamos partir para a ação, porque aquele garoto ali... — Pilar aponta o indicador para Zack lá na quadra — ... vai ser seu.

Meu coração incha de tanta empolgação. Pela primeira vez me sinto pronta, ou quase, para fisgar o coração do garoto por quem sou apaixonada.

— 4 —
Uma segunda-feira esperançosa

O fim de semana passou depressa. Ainda bem! Tive de esconder minhas provas dos meus pais. Por sorte eles não me perguntam nada a respeito, o que é ótimo já que sou uma péssima mentirosa. Além de me embolar com as palavras, o vinco entre minhas sobrancelhas sempre me entrega.

Não é como se eu fosse manter as notas das provas em segredo para sempre — bem que eu gostaria —, apenas desejo adiar o máximo que posso porque assim evito o confronto, os sermões e o detestável castigo. Pois é, meus pais ainda me colocam de castigo como se eu tivesse seis anos de idade, e não quinze. É absurdamente ridículo, eu sei.

Faço uma careta para o espelho enquanto borrifo a mistura de água e creme em meus cachos bagunçados. Assumi o cabelo cacheado faz uns seis meses, antes eu usava muita chapinha e desde então sigo no tratamento para recuperar meus fios. Vivo numa batalha com esse cabelo. Tem dias que acho lindo, tem dias que acho um fardo. Cuidar de cabelo cacheado dá muito trabalho. Em dias como hoje, eu só queria acordar com o cabelo arrumado e não precisar perder bons minutos para deixar os fios no lugar e os caracóis apresentáveis.

São cinco da manhã e estou me arrumando para o colégio. Não costumo acordar tão cedo, mas tenho andado inquieta desde sexta-feira. Com a novidade da solteirice de Zack meu ânimo se renovou e a chama da esperança se reacendeu. Não quero perder mais tempo e nenhuma oportunidade que surgir daqui para a frente.

Falando em oportunidade, ontem Pilar me enviou uma mensagem e contou que a galera do time de futebol do colégio decidiu marcar uma social na casa de um dos jogadores após a partida de sábado. Vicente convidou minha amiga para ir com ele, e ela me intimou a ir porque com certeza Zack estará lá.

Nunca fui a nenhum jogo do time oficial do colégio fora da escola. O time costuma participar de torneios e campeonatos contra times colegiais. Os jogadores do São Pedro já receberam algumas medalhas e prêmios. Apesar de Zack jogar na liga oficial desde o ano passado, nunca me interessei em ir. Não sou fã do esporte como meu pai, o fanático, e Pilar, a caçadora de crushes esportistas. Só assisto aos treinos no colégio como desculpa para ver Zack.

Também não frequento as sociais da escola porque não sou do tipo que gosta de festinhas. Entre sair de casa para socializar com um bando de gente que não conheço e ficar na cama, prefiro mil vezes permanecer no quarto com comida e tevê. Pilar e Bruna já insistiram aos montes que eu participasse de alguns dos encontros que os alunos do colégio organizam — *e pensa numa galera que adora festinhas* — mas eu sempre invento alguma desculpa.

No entanto, desta vez, tenho mesmo de ir. Segundo Pilar, meu manual ambulante de conquista, uma das coisas que preciso fazer é começar a frequentar os mesmos lugares que Zack. É a regra básica para ser vista, e a social é a chance perfeita para isso acontecer.

Pensar na saída de sábado só aumenta minha antecipação. O coração chega a arder.

Uma risadinha nervosa me escapa, e aproveito que terminei de finalizar os cachos para fazer uma maquiagem leve a fim de camuflar as espinhas e manchinhas detestáveis. Depois de aplicar o gloss de melancia, visto a blusa do uniforme e o jeans e pego a mochila jogando o carregador e a nécessaire dentro dela. Enfio o celular no bolso traseiro e calço meu All Star preto de cano alto. Agora sim estou pronta.

Na cozinha, encontro minha mãe passando café.

— Bom dia, mãe — desejo e a abraço pela cintura, estalando em seguida um beijo em sua bochecha.

— Bom dia, meu amor — mamãe acaricia meus cachos e ergue os olhos para o relógio na parede. — Não acha que se levantou muito cedo?

— É ansiedade que fala, né? — brinco indo me sentar e respirando fundo o cheirinho de café fresco.

— Você? Ansiosa para ir ao colégio? — Seu tom de voz descrente é acompanhado por uma sobrancelha erguida.

— Siiim, eu — abro um sorriso de canto. — Ué, não posso estar animada para mais um dia de aula? Mais uma semana sentada por horas naquela cadeira desconfortável aprendendo sobre a vida e o mundo com meus professores? Não posso ficar animada para descobrir matérias novas que nunca mais vou usar na vida?

— Eu, a ironia em pessoa. — Pois eu estou eufórica para mais uma semana de aula. *Yupe!*

Mamãe balança a cabeça para os lados escondendo o riso.

— O que é que você está aprontando na escola, hein?

— Nada, ué — rebato de prontidão com as orelhas começando a pinicar. — A senhora sabe muito bem que sou uma garota supercomportada. — Pesco um pão murcho do cesto e trato logo

de pôr manteiga e abocanhar. Engulo e falo enquanto mastigo:
— E a senhora, está de pé a esta hora por quê? — desconverso.

Justo quando decido conquistar Zack e planejar meus passos com minhas amigas, mamãe vem com uma dessas. Credo!

— Tive insônia, um sonho esquisito, e daí não dormi mais — ela conta.

— Sonhou com o quê? — pergunto ao entornar o leite na caneca.

Escuto minha mãe estalar os lábios com desgosto.

— Foi com... — e ela não termina a frase.

Eu me viro para encará-la. Seu olhar está sobre mim, e logo seus olhos me atravessam como se ela lembrasse do sonho.

— Foi com o quê, mãe? — insisto, e o rosto dela mãe assume um tom preocupado. — Ah, deixa pra lá — gesticulo. — Se foi um sonho ruim nem quero saber.

— Bom dia!

A voz enrouquecida e sonolenta do meu pai nos alcança. Ele surge na entrada da pequena cozinha com seu corpo negro, alto e largo. Papai está de pijamas igual a minha mãe, a mesma estampa, só que ela usa o robe por cima. Eles usam pijamas combinando, e é a coisa mais brega que existe.

— Que milagre é esse? — papai comenta. — Você já está arrumada — e solta um bocejo, roçando os dedos na barba.

— E sem reclamar — diz mamãe. — E animada. — Faz questão de acrescentar com graça.

— Animada? — O olhar do meu pai é repleto de curiosidade em seu rosto amassado. — Animada e sem reclamar do sistema opressor e arcaico que é a escola? — Ele usa a frase que costumo dizer nos dias em que ir para o colégio é um suplício. Ou seja, quase toda manhã.

— E sem mexer no celular — é mamãe quem observa. — Dá para acreditar? — pergunta com fingido espanto.
— Será que não está febril? Foi abduzida? — A piadinha tosca é do meu pai.
— Rá rá rá — zombo retorcendo os lábios num bico.
Meus pais estão me gastando a essa hora. Vê se pode!
Papai ri e se aproxima para dar um de seus abraços *ultra mega power* sufocantes. Ah! E beijos úmidos por todo o meu rosto, o que ele sabe que eu detesto. Tento me desvencilhar de seus braços e faço meu pai rir porque nunca consigo. Ele é um armário em forma de homem.
— Ai, pai, para — peço dando risadinhas. Mesmo sendo o pai mais grudento da história eu o amo muito e adoro seu carinho, menos os beijos, é claro. — Já tá bom, me larga.
— Diga as palavras. — Ele insiste nessa brincadeira desde... sei lá, acho que desde que eu nasci!
— Você é tão carente... — suspiro com falsa pena. — Sabe disso, né? — enrugo o nariz.
— Sou carente da minha garotinha — diz ele, me apertando mais forte.
— Não sou mais uma garotinha, pai — rebato só para ouvir ele dizer a frase clichê de volta:
— Você será minha garotinha para sempre.
Ele consegue ser fofo quando quer mesmo sendo um homem ranzinza.
— Tá, tá — digo fazendo pouco caso. — Me larga, pai.
— Diga as palavras — ele exige.
— Te amo — disparo para me livrar. — Agora me solta.
— Foi muito fraco — ele ri e me beija mais.
— Te amooo! — exclamo com entusiasmo fingido para que o Sr. Tentáculos fique longe de mim.

Assim que ele me solta, nós três tomamos café à mesa numa conversa típica. Escuto sobre o culto de ontem ao qual não fiz questão de ir, o almoço de aniversário do vô Bento, pai do meu pai, na semana que vem, e as novas mercadorias que vão chegar na loja de presentes de vó Lourdes.

Mamãe me pede que ajude a vovó na loja a arrumar os novos itens. Digo que vou sim e que depois passo na casa da vovó para combinar. Vó Lourdes é minha avó materna e mora no mesmo prédio que a gente, apenas quatro andares abaixo. Ela é minha avó favorita. Amo tê-la por perto e gosto de ajudar na loja quando ela precisa. Além do fato de ganhar uns presentinhos, é claro.

— Vou tomar um banho e levo você ao colégio, boneca — meu pai avisa.

Aceno, disfarçando um sorriso ao sentir o nervosismo retornar.

— 5 —
Do meu jeito

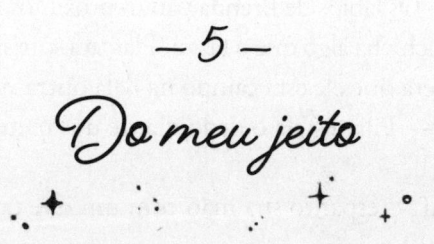

No intervalo, minhas amigas e eu estamos sentadas nas escadas da biblioteca, nosso lugar favorito. Estou sugando o restinho da Coca pelo canudo, Pilar devorando o segundo cookie de chocolate e Bruna partindo seu croissant de frango. Marcamos uma reunião urgente para debater o início do plano "conquistando o crush" mesmo já tendo conversado muito por mensagens no fim de semana.

O crush em questão está jogando totó com os colegas no espaço de jogos, na área coberta anexa ao refeitório. Meu sorrisinho bobo escapa por vê-lo se divertir tão descontraído, porém logo meu rosto congela ao perceber Brenda se aproximando dele.

A morena se inclina sobre a mesa do totó como quem está interessada em ver o jogo. Arruma o cabelo para um lado do pescoço num gesto ensaiado de sedução. É a marca de Brenda, ela sempre brinca com os fios luminosos quando deseja a atenção de um menino.

De onde estou é impossível ouvir o que a garota diz, e também há esse burburinho pelo pátio, contudo Brenda parece conseguir o que deseja, já que os amigos de Zack o deixam sozinho com ela. Fico tensa com o desenrolar da cena. Brenda chega mais perto de Zack e toca seu braço correndo os dedos pelo pulso até o ombro desnudo. Com a longa unha preta ela delineia a borda da alça da camisa regata de Zack. Os lábios de Brenda param próximos ao ouvido dele e então ela cochicha algo que o faz moldar um sorrisinho travesso.

Droga! Será que ele está caindo na dela outra vez?

— Chér — Pilar estala o dedo diante dos meus olhos. — Ei! *Alouu?*

— Pera aí — espanto sua mão com um leve tapa e continuo espiando aqueles dois.

Brenda agarra o rosto de Zack e o puxa em sua direção.

Ela vai beijá-lo? Bem ali? Em pleno pátio?

Estou cheia de raiva, raiva essa que evapora em segundos ao ver Zack empurrar a mão de sua ex.

Isso! Vibro vendo o garoto afastá-la e fazer um gesto com a mão chamando os amigos, que retornam para a partida de totó. Brenda é desprezada e sua cara não é das melhores. Eu a vejo sussurrar algo no ouvido de Zack, e desta vez o garoto bufa e enfim a morena vai embora para o outro lado do pátio, batendo o pé e com o rosto retorcido em irritação.

Acho que consigo respirar agora.

— Ela vai ficar rondando o menino — é Bruna quem solta o comentário. — Abstrai, amiga.

— É difícil não se sentir ameaçada — confesso e, ansiosa, roubo um pedacinho do cookie de Pilar, que está sentada no mesmo degrau que eu.

— Então você escolheu o cara errado, amiga — Bruna ri de mim e eu a soco no ombro. Ela amontoa o cabelo loiro escuro no topo da cabeça em um coque bagunçado.

— Chér — Pilar estala os dedos de novo, exigindo minha atenção. — Presta atenção em mim para depois prestar atenção no crush.

— Chér, pede logo pra ficar com ele — Bruna aconselha. — É tão simples e rápido. Gasta bem menos esforço que bolar todo esse plano romântico. Eu desenrolo o Zack pra você, amiga.

— Amiga, não. Eu quero mais que isso, e você sabe — digo sem paciência para uma nova rodada da conversa que tivemos no zap. — Zack acabou de terminar com Brenda. Prefiro ir devagar — completo.

Quero dar passos discretos e planejados. Não quero parecer uma louca desesperada, embora eu esteja desesperada.

— Bruna — Pilar se intromete —, deixa a Chér fazer as coisas do jeito dela.

— Só que é perder tempo. Se você quer tanto o Zack basta ir e pegar — Bruna quica os ombros como se fosse uma questão assim fácil de resolver.

— Não quero só uma ficada, Bruh, já disse. Gosto do Zack faz um tempão, amiga. Não esperei tanto por essa chance só para beijá-lo e ser apenas isso. Quero que ele se apaixone, quero namorar com ele...

— Você e seu sonho de conto de fadas — Bruna me corta com ar debochado. — E é bem provável que o Zack não queira namorar agora. Acabou de se livrar de uma doida.

Fecho a cara e cruzo os braços pronta para uma discussão.

— Bruna, se você não quer ajudar então não atrapalhe, caramba. Você tá chata hoje, hein?

— Tá mesmo — Pilar concorda comigo. — Um porre.

— Relevem que hoje acordei com cólicas — Bruh se defende esticando a perna no seu degrau abaixo do meu. Meu rosto continua amarrado. Tpm não é motivo suficiente para ela ficar azedando meus planos. Bruna deve ter percebido minha cara amarrada porque suspira: — Prometo que vou te ajudar, Chér. Quero fazer parte disso. Até porque já passou da hora de você deixar de ser bv. Precisa beijar e muito. Aí vai ver o que estava perdendo.

Minha barriga dá cambalhotas com as imagens de Zack e eu juntos cruzando meus pensamentos. Quero e vou beijar muito o Zack. Apenas ele.

— Bora voltar para o tópico do dia?

Pilar me encara com uma sobrancelha erguida, e ela tem toda a minha atenção.

— 6 —
Conquistando o crush

Os vinte minutos do intervalo foram pouco para receber toda a sabedoria de Pilar sobre a arte da conquista. Decidimos que ela viria para minha casa após a aula. E aqui estamos nós, depois de almoçar no self-service perto do colégio. Enquanto eu penduro a mochila no gancho atrás da porta, Pilar se esparrama na minha cama com o celular nas mãos. As covinhas surgem em seu rosto um pouco vermelho, e nem preciso de palavras para entender que ela ainda está conversando com Vicente.

— Amiga, você quer tomar um banho? Te empresto uma roupa minha — ofereço arrancando os tênis.

— Não, Chér. Nem posso demorar, minha mãe não sabe que vim. Fiquei de dar uma geral na casa hoje — ela conta com uma careta e larga o celular no edredom. — Vicente quer sair amanhã depois do colégio — revela com o rosto iluminado.

— Ui! — exclamo com graça. — E aonde vocês vão? No cinema de novo?

— Sim! Vou ter que dar um jeito de driblar minha mãe, porque esta semana ela está puro estresse. Posso dizer que vamos estudar juntas amanhã? Você me cobre? Invento que temos um teste, um trabalho, algo assim.

— Claro, amiga. Se ela me ligar, eu confirmo nosso estudo. — Faço um joinha com uma piscadela travessa.

— Adoro poder contar com você, Chér. Obrigada, amiga. — Ela me sopra um beijo exagerado no ar. — Se eu falar que vou estudar na casa da Bruna, minha mãe não vai levar a sério. Agora em você ela confia porque você é muito comportada, uma menina ajuizada, centrada...

Começo a rir porque essas são de fato palavras da tia Osana.

— Mal sabe ela que você é quietinha, mas tem altos planos para fisgar o crush — Pilar dá uma risada gostosa.

— Ei! Eu sou uma garota comportada, tá? Em comparação com você e Bruna, sou um anjo.

— Vamos agitar essa sua vida angelical — Pilar fala com empolgação.

Eu me sento ao seu lado na cama e abro o Instagram para ver as novidades.

— Tem algum chocolatinho, amiga? Vontade de comer doce.

— Tem sim — respondo notando na tela que Zack postou um story. — Pega lá no armário da cozinha. Você sabe onde fica. Traz também um copo de refrigerante?

Analiso a foto postada por Zack. Em alguns dias da semana, ele costuma ir para o colégio de moto e ainda dá carona para Diego. Na foto em questão, Zack está com os olhos azuis ainda mais evidentes devido aos raios de sol que iluminam seu rosto e mordisca metade do lábio inferior numa expressão sedutora. Adoro quando suas fotos são assim, só de rosto. Zack é tão, tão gato que eu até tenho uma foto dele no meu varal de fotos aqui em cima da cabeceira da cama. Ninguém sabe que tenho uma foto de Zack, ela está bem escondida, em especial da minha mãe. Ela não tem o costume de fuçar meu quarto, só mexe nas coisas quando limpa. E o varal só eu arrumo, porque ela sempre deixa as fotos caírem e se perderem.

— Toma — Pilar me entrega o copo gelado de refrigerante e se afunda na cama. — Podemos retomar nossa lição?

Aceno tomando um gole da bebida refrescante e apago a tela.

— Certo... onde foi que paramos? — Pilar tira do bolso a folha dobrada de caderno onde listou várias dicas para o plano "conquistando o crush".

— Ainda não acredito que você anotou isso mesmo — comento com riso.

— Claro! Vou te dar a folha quando terminarmos. Vê se estuda, tá? Isso aqui é até mais importante que matemática.

— Nem me fala em matemática... — gemo ao lembrar da minha nota ridícula e do quanto preciso correr atrás para não ficar de recuperação e perder as férias com minhas amigas. Espanto os pensamentos, por ora.

— Paramos no número seis — Pilar corre os olhos pelos tópicos na folha. — Ah, sim. Esse aqui é um dos mais importantes, Chér. — Pilar indica no papel e me fita com tom de suspense. — Em hipótese alguma se declare para o seu crush. Contar para o garoto que você gosta dele é vergonhoso e uma péssima jogada.

— Isso nem passou pela minha cabeça, Pilar. Zack nem sabe que eu existo, imagina chegar e me declarar? Nunca! Que mico.

— Que bom. Eu já fiz isso e tomei na cara. Não recomendo mesmo. Bom, número sete: chame atenção sem parecer querer ser notada. Como já falei, você precisa estar nos mesmos lugares que ele para ser vista, mas sem parecer uma louca *stalker*, e nada de ficar encarando como uma esquisitona. A ideia é você ser casual e a proximidade ser apenas uma coincidência. É sério, Chér, pare de rir!

Não consigo. Pilar parece tão séria, como se fosse de fato uma analista da conquista. É muito engraçado. Estou rindo tanto que minha barriga dói.

— Eu consigo ou não que os garotos que eu quero me notem? — ela pergunta com um ar arrogante, pondo uma mecha rosa da franja atrás da orelha.

— Consegue, amiga — aceno com a cabeça mordendo os lábios para segurar os risos.

— Então acredite em mim, Chér. Esse tópico muda vidas. — Agora é ela quem está rindo. — Se você quer ser vista por um garoto, precisa ficar na linha de visão dele, estar perto de alguma forma. É por isso que você tem de ir ao jogo no sábado.

— Eu vou, amiga, certeza — garanto com um polegar para cima.

— Linguagem corporal — Pilar bate uma unha rosa na folha. — Essa aqui é boa e você precisa melhorar nesse ponto, porque sua linguagem corporal não é nada atraente, amiga.

— Como assim? — Crispo as sobrancelhas.

— Você é muito tímida e envergonhada quando se trata de meninos. Não tem problema brincar com a timidez na hora da conquista, mas no seu caso, que não sabe flertar e tal, apenas transparece que você não é segura de si.

— E eu não sou — concordo sentindo os ombros murcharem.

— Sei disso, bobinha — Pilar dá tapinhas amigáveis no meu joelho. — Mas precisa passar por cima de todo esse complexo. Nada de ficar travada num canto, escondendo o rosto, de braços cruzados ou com cara de medo. Você precisa demonstrar que é aberta, acessível e segura. Quando estiver na linha de visão do garoto, brinque com o cabelo, abra pequenos sorrisos, envie olhares discretos, gesticule, seja divertida e amigável.

— Eu sou divertida e amigável, tá? — rebato meio ofendida.

— Você é com a gente, sua família e os amigos íntimos, mas quando se trata de interesse romântico você parece um bicho do mato. E sabe que não estou exagerando — Pilar me aponta um dedo como que me desafiando a contrariá-la. Não faço porque ela tem razão. Ela continua: — Você perdeu várias oportunidades de deixar de ser bv com carinhas lindos porque estava cheia de vergonha.

— É, mas porque eu também queria dar o primeiro beijo em um garoto de que eu gostasse.

— Também — Pilar maneia a cabeça de leve ao concordar comigo. — Enfim, demonstre que você está aberta para uma aproximação.

Minha cabeça está dando um pequeno nó enquanto Pilar continua listando os tópicos e as dicas práticas. Se a ideia era me deixar segura, acabo ainda mais preocupada com medo de fazer tudo ao avesso. Conquistar um garoto deveria ser menos trabalhoso. Encaro a folhinha amassada que Pilar me entregou. Suspiro pensando no quanto vou ter de estudar e decorar tudo aquilo. O mais difícil será colocar o plano em prática. Porém, estou decidida a conquistar o Zack e seguir todas as dicas de Pilar.

— Obrigada por ter vindo me ajudar, amiga. Te amo de montão!

Dou um abraço apertado em Pilar algumas horas depois, quando ela cruza a porta do meu apartamento para ir embora.

— Já disse que não sei o que seria de você sem mim, né? — Um sorrisinho dança nos lábios de Pilar conforme ela me abraça de volta. — Uma vida vazia, sem cor e sem crush.

Explodo em uma gargalhada. Pilar é única. Eu a adoro tanto...

— Amiga, dorme aqui hoje. Eu ligo pra tia Osana e imploro. Invento um caso de vida ou morte.

— Bem que eu queria, amiga — Pilar faz um beicinho, ajeitando a mochila pesada nas costas. — Mas tenho mesmo que ir. Você sabe como meus pais estão se odiando no momento. — Seu rosto se entristece. Meu coração aperta por ela. Minha amiga encolhe os ombros ao dizer: — Se eu não estiver em casa de noite fico com medo de eles se atacarem fisicamente. Preciso estar lá ao menos para entrar na frente.

— Sinto tanto, tanto amiga, por você e sua família passarem por isso. — Puxo Pilar de volta para um abraço querendo confortá-la do jeito que consigo.

— É uma droga, Chér. Brigas intermináveis. Parte de mim quer que eles se separem logo, e a outra que ama os dois e a nossa família espera que por um milagre eles voltem a se amar e conviver bem. Meus sentimentos vivem na corda bamba. No fundo, só quero paz.

Deve ser horrível vivenciar as brigas dos pais e saber que o amor que eles sentiram um pelo outro um dia se transformou em ódio. E ainda ter de mediar toda a situação. Admiro Pilar por ser uma garota muito forte. Em seu lugar, não faço ideia do que faria.

— Não posso dizer que entendo porque não faço ideia de como é viver isso, amiga. Mas espero que as coisas se resolvam. E você pode contar comigo para o que precisar. Estou aqui, viu? Sempre.

— Sempre — Pilar repete com um sorriso de covinhas encaixando seu mindinho no meu e tocando nossos polegares em nosso antigo cumprimento.

Trocamos um último abraço, e ela parte assim que o motorista do aplicativo chega.

— 7 —
A melhor ideia de todas

Por quanto tempo uma garota deve torrar debaixo do sol para chamar a atenção do crush?

Faz uns dez minutos que estou deitada neste desconfortável banco de madeira, embaixo de uma das árvores ao redor do pátio, e não suporto mais. Minhas costas doem, e me sinto bronzear em lugares indesejáveis, como o rosto e os braços, por exemplo. É bem capaz de eu ficar com a marquinha da gola da blusa do colégio. Ninguém merece.

Quando Pilar falou que eu deveria procurar um lugar próximo de Zack para tentar ser vista, descobri que os meninos planejavam jogar basquete na hora do intervalo. Na verdade, eles estão brincando de fazer passes, dribles e cestas. Pensei nesse banco por estar bem posicionado, de frente para a quadra. Corri para cá e decidi me deitar assim como quem não quer nada, como alguém que está apenas matando o tempo livre enquanto escuta música.

Só não esperava que fosse ficar tão quente em questão de minutos. Meu braço direito está cobrindo parte do meu rosto, na tentativa de não torrar, enquanto sinto a camisa do uniforme grudar em minha pele suada, o jeans esquentar nas coxas e até os tênis ficarem quentes. Os cabelos em minha nuca estão úmidos, e começo a lamentar por não ter trazido uma garrafinha de água. Pareço engessada neste banco, sem saber o que fazer.

Quero ver Zack na quadra. Tento virar a cabeça de leve para a direita. Porém há tantos raios solares bem no meio da minha cara que isso impossibilita ficar olhando. Então permaneço de olhos fechados me questionando por que não me sentei na porcaria do outro lado do pátio que também tem bancos e até uma pequena arquibancada de três degraus. Preciso escolher melhor os lugares em que pretendo executar meu plano de ser vista, porque hoje eu mandei mal.

Será que ao menos o Zack me enxergou aqui?

Espero muito que sim.

Uma garota esparramada num banco em frente à quadra não é invisível, certo?

E, além do mais eu...

— Aii! — dou um berro, de repente, quando algo pesado se choca contra minha barriga.

Meu ar é roubado, e a dor é tanta que me obriga a sentar enrolada como um caracol.

Caramba! É isso mesmo? Acabei de levar uma bolada?

Seguro a barriga como se isso fizesse a dor sumir. Meus olhos ardem. Sofro em silêncio e reprimo a vontade de chorar. É claro que não vou fazer uma cena em pleno pátio, que mico seria. Mas está doendo demais. Até para respirar está difícil. Parece que meu estômago foi engolido por ele mesmo. Puxo uma pequena respiração pela boca enquanto as mãos rodeiam a barriga magoada, como que para protegê-la. Aperto os olhos por alguns segundos até notar, através da névoa de dor, o objeto infeliz que quicou em mim ir rolando para baixo do banco. É a bola de basquete.

— Eita, foi mal — escuto um garoto dizer. Talvez seja o que me acertou com a bola.

Abro bem os olhos e vejo Diego caminhando até onde estou.

— Você se machucou? — Diego quer saber com preocupação nos olhos escuros.

— Er... um pouco — confesso de uma vez, porque a dor deve estar estampada em todo o meu rosto.

— Desculpa aê — Diego coça a nuca sem jeito e se abaixa para pegar a bola. — Em minha defesa, a culpa foi do Zack. — E me mostra seu sorriso sem graça. A menção do nome do amigo faz meu coração dar um solavanco. — O erro de jogada foi dele.

Zack me acertou com a bola?

— E aí? Tá tudo bem?

Não acredito!

Ergo o rosto para o lado da quadra e vejo Zack se aproximando de onde estou.

Ele acabou de falar comigo? Está caminhando na minha direção?

Agora mesmo que respirar está impossível. Ai, minha nossa!

Como faço para a barriga parar de embrulhar?

— Foi ele quem te acertou — Diego acusa colocando a bola debaixo do braço moreno.

— Desculpa, linda.

Meu sonho de garoto está parado na minha frente. Pisco com os lábios levemente abertos. Zack acabou de me chamar de linda? Engulo em seco, tão nervosa que fico com medo de abrir a boca e sair asneira.

Respira, Chér. Calma. Só respira e, pelo amor da sua vida, não passa vergonha.

Zack está me encarando à espera de uma resposta.

— Er... — As palavras não saem. Meu coração está palpitando rápido demais.

Envergonhada, fujo das intensas safiras de Zack, tão lindo com o rosto vermelho, suado, com os fios loiros da franja grudados na testa. Tão gato que nem consigo encará-lo.

Acompanho sob os cílios Zack se agachar, apoiar as mãos no banco, uma em cada lado do meu corpo, e colocar seu rosto na mesma altura do meu. Ainda estou segurando minha barriga e já nem sei mais se pela dor da bolada ou pelo nervosismo que me ataca sem piedade. Prendo a respiração.

— Tá doendo muito? — Zack torce o nariz em uma careta preocupada, mas seus olhos são atenciosos. — É melhor você passar na enfermaria — ele sugere.

— N-não... — Minha voz soa quase inaudível. Puxo o ar devagarinho. — Não. — Coloco mais firmeza na voz para dizer: — Estou bem, sério.

— Tem certeza? — Zack insiste, e eu apenas faço que sim com a cabeça.

Encarar esse garoto a poucos centímetros de mim está me virando do avesso.

É possível alguém tremer por dentro? Porque sinto que estou tremendo.

— O-obrigada — falo como uma idiota.

Estou tão afetada pela proximidade que nem sei direito o que dizer.

— Obrigado? — Zack questiona espremendo as sobrancelhas aloiradas em nítida confusão. — Por ter te acertado com a bola? — E deixa uma risada gostosa escapar. Seus olhos são divertidos, e tão azuis...

Tem como esse garoto ser ainda mais bonito? *Ainn...*

Um sorrisinho me escapa, um daqueles cheio de nervosismo, minhas orelhas esquentam assim como meu rosto e, prestes a responder a Zack o sinal toca estridente anunciando o fim do intervalo.

Justo agora?

— Tem certeza de que está bem? — Zack pergunta de novo, e eu consigo responder que sim. Ele fica de pé, com a mão estendida para mim.

Ansiosa e envergonhada, aceito sua ajuda para me levantar. Sua mão quente deixa a minha e eu lamento a ausência de seu toque macio.

— Desculpa, tá? — ele insiste todo fofo.

— Aham — balbucio. — Tá. — Engulo para limpar a garganta. — Tá desculpado.

E tento dar um sorriso bonito. Zack sorri de volta tão charmoso ao arrumar a franja para o lado. Ele arrasta o polegar no lábio inferior num gesto casual alheio ao efeito que me causa. Belisco o interior da bochecha imaginando como deve ser beijar essa boca perfeita. Os pensamentos aceleram meu coração.

— Beleza — Zack diz, ainda sorrindo, e dá um toque no ombro de Diego. — Bora.

— Foi mal aê — Diego me lança uma piscadela repleta de "desculpas".

Apenas aceno, observando os dois irem para o meio da quadra para se juntar aos outros meninos.

Carambolas! O que acabou de acontecer aqui?

— Amiga, você está legal?

Pilar e Bruna me encontram segundos depois ainda parada no mesmo lugar.

Meu sorriso parece uma linda tatuagem no meu rosto chocado.

Como uma bolada mudou todo o curso do meu intervalo e contribuiu de forma surpreendente com o início do meu plano? Só pode ser o destino.

— Chér, você se machucou, amiga? — Pilar quer saber com um beicinho no rosto e um olhar apreensivo. — Eu vi quando a bola acertou você, mas Bruna percebeu que Zack estava se aproximando e não me deixou vir.

— Lógico — Bruna se defende apressada. — Ela não estava toda torta nesse banco por nada. Não queria que o Zack te visse? Pois conseguiu — Bruna abre seu sorriso cheio de malícia. — Parabéns, amiga. Chamou a atenção do crush em grande estilo! — Ela une os dedos em uma joinha com aprovação.

— Foi a melhor bolada da minha vida! — eu comemoro ainda em transe fazendo minhas amigas gargalharem. — É sério, meninas! — Eufórica, eu as abraço pelos ombros. — Foi perfeito!

— Você levou uma bolada, doida — Bruna está aos risos.

Sem conseguir parar de sorrir de tão feliz, conto para as meninas os detalhes da bolada de Zack enquanto costuramos o pátio em direção à sala de aula.

Deitar naquele banco foi a melhor ideia de todas.

* * *

A bolada que ganhei de Zack deixou uma marca avermelhada no centro da minha barriga. Horas mais tarde e sozinha em casa, porque meus pais estão no consultório, analiso o início do hematoma como se fosse uma belíssima tatuagem. Ainda está doendo, é claro, e é por isso que estou aqui passando uma pomada anti-inflamatória que encontrei na gaveta de remédios da minha mãe. Porém, nem o fato de a região estar dolorida tira a minha alegria por ter tido a oportunidade de ser notada por Zack e ele ter sido todo fofo comigo.

Se amanhã Zack estiver na mesa de pingue-pongue eu vou ficar por perto e torcer para ele me acertar com a raquete.

Dou uma risada alta com essa ideia maluca. Até me surpreendo com o som. É uma brincadeira, óbvio. Se receber o impacto da bola de basquete doeu assim, imagine uma raquetada na cabeça. Tô fora! Eu faria muitas coisas para ter a atenção de Zack, mas me machucar de propósito não é uma delas. Sou uma garota apaixonada, não louca.

Assim que troco de roupa, sigo para a cozinha e esquento o almoço. Levo meu prato para comer no sofá enquanto me atualizo das novidades nas redes sociais. Divido a atenção entre comer, bisbilhotar no celular e a série de tevê que coloco apenas porque não gosto do silêncio.

No Instagram, uma nova foto de Zack surge no feed. Ele está sentado na beira da piscina de sua casa afagando a cabeça de Dalila, sua cadela pitbull de pelo caramelo e olhos cor de mel. Zack adora essa cadela e ele tem mais três pitbulls. São lindos, porém morro de medo de cachorro. Quando eu tinha seis anos fui mordida por um e desde então criei pavor de cães. Imagine um pitbull... só o nome da raça já me apavora.

Deixo um coraçãozinho na foto de Zack e nenhum comentário. Nunca comentei nas fotos do garoto. Seria estranho, já que não somos próximos. Queria colocar uns corações ou escrever "que lindo!". Talvez eu devesse, agora que Zack está solteiro e trocamos algumas palavras no colégio mais cedo. Só que não tenho coragem de escrever "lindo" porque ainda quero ser discreta.

Se bem que eu poderia comentar sobre a cadela. Por que não? Ela é bonita mesmo. Fazer um comentário sobre Dalila pode ser interessante, e Zack talvez até se lembre de mim. Tentar não custa, né?

Mordisco o lábio inferior digitando "que cadela mais linda!". *Que nem o dono*, completo em pensamentos em meio a risos bobos.

Meio minuto depois me surpreendo ao ver Zack me responder "valeu".

Tapo a boca com a mão devido ao choque. Ai, minha nossa! Zack me respondeu!

Sinto nervosismo misturado com alegria. Preciso contar para minhas amigas!

Abro o atalho para nosso grupo quando uma notificação surge no topo da tela.

zacknogueira7 curtiu sua foto.

O quê?!

O berro que dou é tão alto que me faz pular do sofá e quase derrubar o prato.

É sério que ele acabou de curtir a selfie que postei mais cedo? Foi uma foto do meu rosto iluminado pelo sol que tornou meus olhos verdes mais vívidos.

E... Zack curtiu essa foto. Estou chocada!

Fixo a atenção na tela e tiro um print para provar que aquilo é real. O garoto de que eu gosto veio visitar meu perfil. Não seguro meu gritinho enlouquecido. Largo o prato para pular no sofá com o celular nas mãos e quase caio ao sentir o celular vibrar.

Tenho uma notificação. Ganhei um novo seguidor.

Ai, meu Deus do céu!

zacknogueira7 começou a seguir você.

O quê?! Como assim?
Que loucura é essa?
Acabei mesmo de ser seguida pelo Zack?

O Zack? O meu Zack?

Como lidar com seu crush curtindo sua foto e seguindo você assim do nada?

Eu não tenho maturidade para isso, sério. Não tenho!

O que isso quer dizer?

Será que Zack se lembrou da bolada de hoje? Será que ele sabe quem eu sou?

Bom, as pessoas só seguem perfis que as interessam nas redes sociais. Então, talvez isso queira dizer que eu... me tornei interessante para ele? Solto outro grito eufórico enquanto faço o sofá de pula-pula. Envio meus prints para o grupo das minhas amigas. Zack me notou!

Tem como este dia ficar melhor?

— 8 —
Por essa eu não esperava

Pelo resto da tarde fico largada no quarto comendo brigadeiro, fuçando as redes sociais, *stalkeando* Zack, claro, e surtando com minhas amigas por mensagens. Deixei Pilar e Bruna surpresas com as novidades. Até eu ainda não consigo acreditar que Zack está finalmente me notando. Meu sorriso se petrificou no rosto. Sinto como se pudesse flutuar feito um balão ao vento, de tão feliz que estou.

E é assim que me obrigo a ir para a cozinha adiantar a janta para minha mãe. Como ela e meu pai chegam tarde do consultório dentário, combinei com mamãe de fazer o jantar em dias corridos. Na geladeira, encontro a sobrecoxa já temperada e coloco na air fryer. Na dúvida se o arroz vai dar ou não faço um novo e, em seguida, preparo uma salada e coloco legumes para cozinhar.

Meu celular apita do quarto onde o deixei carregando. Depressa vou ver o que é pensando em Zack.

Caio na cama decepcionada ao ver que não é nenhuma notificação do meu loiro e sim de Diego, seu amigo, que também passou a me seguir no Instagram. Encolho os ombros e o sigo de volta apenas por cordialidade virtual. Em segundos, recebo uma mensagem de Diego no direct me perguntando se fiquei bem

mesmo após a bolada. Que bonitinho ele querer saber como estou. Talvez Zack tenha pedido para ele perguntar, né?
Será que se sentiu tão culpado assim?
Comento sobre isso com minhas amigas em nosso grupo.

Pilar: Você devia ter desmaiado de dor na hora da bolada. Zack teria ficado com remorso, te carregado no colo, te dado ainda mais atenção.
Chér: Amiga, haha, você é genial.
Bruna: Vocês são loucas! kkkk olha a minha cara de quem vai pagar de indefesa pra boy? Afe
Pilar: Ah, sim (ouça meu tom irônico), pq você é uma garota má.
Bruna: Minhas táticas de conquista são opostas, mas nesse plano maluco de vocês duas eu concordo com a Pilar, Chér. Podia ter se jogado no chão de dor. Feito o boy sofrer um pouquinho porque é atenção que você quer, né.
Chér: Se ele me acertar com a raquete amanhã eu juro que desmaio haha
Pilar: Que raquete, sua doida? Do que você tá falando?

Minha risada é alta enquanto escrevo:

Chér: Desconsidera kkk
Bruna: Ogrinha, você já respondeu o Diego?
Chér: Ainda não.
Bruna: Então fala que ainda está doendo a bolada. Que ficou roxo, que você está tomando remédio. Faz um draminha pq essa é sua especialidade :) e finaliza dizendo que vai ficar bem.
Pilar: Isso! Ele vai se sentir mal e fazer o Zack se sentir mal.

Gosto da ideia. Muito mesmo.

Eu repondo Diego como Bruna aconselhou e, prestes a contar para as meninas a quantidade de desculpas que ele pediu, escuto o barulho da porta da sala ser aberta e a voz inconfundível de minha mãe.

— Filhota? Chegamos.

Logo me despeço das meninas e garanto que retorno depois para fofocar sobre o papo com Diego.

— Que cheiro é esse?

É a pergunta do meu pai, que faz eu me dar conta do cheiro de queimado ao redor.

O arroz!

Desesperada, salto toda sem jeito, tropeço no edredom largado na quina da cama e sou arremessada quase que de cara no chão. Sorte minha ter sustentado meu peso nos punhos. Doí bastante. Chateada, reclamo da bagunça que eu mesma causei no quarto e que vivo dizendo que uma hora dessas vou organizar. É a mentira que conto toda vez que uma de minhas tralhas fica no meio do caminho e eu tropeço nelas. Acontece que todo dia tenho a mesma rotina e não faz sentido arrumar o quarto se vou desarrumar tudo horas mais tarde.

No corredor, trombo com meu pai.

Raio de apartamento estreito!

— Epa. — Ele me segura pelos ombros.

— O arroz — digo apressada, empurrando seu corpo largo para o lado.

— Já desliguei — minha mãe informa da cozinha. — Queimou — estala os lábios com pesar.

— Mas que droga! — exclamo no meio da pequena cozinha, que é um corredor anexado à lavanderia.

— Olha o linguajar — meu pai me repreende da soleira da porta.

Ignoro ao ver minha mãe colocar a panela dentro da pia e ligar o exaustor.

O cheiro está terrível. Estou até tossindo.

Como não percebi o arroz queimando?

— Tem que prestar mais atenção. Arroz cozinha rápido, não pode tirar o olho — mamãe adverte e aconselha ao mesmo tempo com seu jeito tranquilo.

— Aposto que o celular te distraiu — é papai quem acusa, porque ele não perde uma oportunidade de falar mal do celular. Ele tem ranço de tecnologia.

— Não foi, não — minto na cara dura, mas não cola. Papai me conhece bem.

— Foi o Instagram ou o TikTok?

Seu Luís alfineta com um risinho irônico e eu fecho a cara.

Minha mãe passa por nós e deixa um beijo nos meus cabelos.

— Foi tudo bem na escola hoje? — ela faz a pergunta típica e tira o saco de arroz do armário.

— Tudo beleza — dou a resposta ensaiada me inclinando no fogão para ver os legumes.

— E as provas? Já recebeu? — mamãe quer saber ao colocar o arroz na panela.

— É... — gaguejo, surpresa. Não esperava que ela fosse me perguntar logo isso.

— Recebeu? — meu pai pressiona com seus olhos de águia para cima de mim.

Inventa uma desculpa, inventa!, eu grito na minha cabeça e abro a geladeira para disfarçar.

— Vocês querem que eu esquente aquela porção de nhoque que sobrou de ontem? — pergunto trocando de assunto. — Tinha me esquecido dele.

— Teve nota vermelha? — Minha mãe é direta e reta. Como toda vez.

Por que ela vive tão interessada em cada aspecto da minha vida? Que chato.

— Foi por isso que ainda não me mostrou suas provas? Porque eu vi na agenda virtual que você recebeu sexta-feira passada.

Ai, caramba! Como é que eu fui me esquecer da agenda virtual? Como?

Aperto os olhos me rendendo porque não tenho saída a não ser confessar.

— Recebi as provas, mãe. — Meus ombros cedem.

— Vai lá buscar, filha — ela pede sem rodeios ainda com sua voz calma. Na verdade, é raro mamãe ficar irritada ou estressada, caso bem diferente do meu pai.

— Não posso mostrar depois da janta? — Encaro mamãe com um olhar suplicante.

Ela suspende uma sobrancelha bem-feita e me solta um sonoro "não".

Resmungo, inconformada por ter de mostrar minhas provas mais rápido do que pretendia, e isso me diz que ganharei um castigo mais depressa também.

Um silêncio se instala.

— Não quer que eu coloque a mesa primeiro? — insisto mais uma vez tentando fugir da situação.

— Nossa, boneca — meu pai cruza os braços olhando para mim com riso. — Foi tão ruim assim?

— Foi — solto sem pensar e logo me corrijo: — Não... não. Quer dizer, mais ou menos.

— Rochelle, traz logo as provas e acabamos com isso, filhota.

Minha mãe tem um modo engraçado de me chamar pelo nome quando quer soar séria ou passar uma bronca, mas usa o termo "filhota" no final como que para amenizar a situação. O que ela não sabe é que nunca resolve. Bronca é bronca. Nunca é coisa boa.

Frustrada, busco minhas provas da humilhação e entrego nas mãos de mamãe. Ela corre os olhos atentos sobre os papéis, suspirando em desaprovação pelo que lê. Então me fita com aquele olhar, o de desapontamento que bem conheço.

Belisco o interior da bochecha com os dentes, alternando o peso nos pés pronta para escutá-la dizer:

— Castigo por um mês inteiro, Rochelle. Sem saída com Pilar, Bruna ou qualquer outra pessoa que não seja desta família. Fui clara?

— 9 —
Um completo pesadelo

— O quê?! — grito apavorada. — Um mês, mãe?!

Ela só pode estar de brincadeira! Um mês inteiro confinada dentro de casa será o fim da minha vida! O máximo de castigo que ela já me deu foi de duas semanas.

— Sim, mocinha. Um mês de castigo por ter ido tão mal nas provas. Nós tínhamos um acordo, lembra? Quando me mostrou o teste você prometeu que iria estudar mais para melhorar sua nota. Olhou dentro dos meus olhos e implorou para não ter consequências. Deixei passar, mas desta vez não vou. Você sabe que vai ficar de recuperação, não sabe? Pode esquecer a viagem para Búzios com as meninas.

Minha mãe tem uma mão na cintura e me olha com um misto de indignação e pena.

Estou quase sufocando e surtando, tudo junto.

A viagem é muito importante, e eu não quero deixar de ir. Minhas amigas e eu estamos planejando há meses! Porém o que mais me deixa nervosa é o castigo, porque a social do time de futebol é no sábado e Zack vai estar lá. Eu tenho que ir!

— Não, mãe — imploro com a voz sofrida, tomada de desespero. — Por favor, não me deixa de castigo.

— Nem adianta, Rochelle — ela me corta, indo verificar o arroz no fogo.

— Mãe, eu juro que vou estudar. Prometo, eu...

— Filha — ela me atropela com a voz pingando descrença. — Não vi você pegar um caderno ou livro durante as últimas semanas. Nem tente me enrolar.

— Eu li, sim! Estudei, sim — me apresso a dizer, mas não é bem a verdade. — Você se lembra daquele dia que você me chamou para ir à vovó, mas eu estava estudando? — rebato procurando na mente algo que eu pudesse usar como contra-argumento.

— O dia em que vi você on-line o dia inteiro no Instagram? Esse dia? — ela dispara de volta me deixando muda. — Seus livros estavam abertos na cama, mas você não estava estudando *mesmo*. Você acha que não vi aquele monte de postagens suas no Twitter?

Minha boca se abre em resposta.

Como é que é?!

— Você tá me espiando no Twitter? — quero saber exasperada. Desde quando ela tem Twitter?

— Rochelle — seu tom é calmo como se ela falasse com uma criança —, onde você cria uma conta, eu também crio.

Ai. Meu. Deus. Do. Céu. Pesadelo atrás de pesadelo.

— Isso é perseguição! Sabia disso, né? Mãe! Qual é?! Você não pode ficar me seguindo nas redes sociais. É um absurdo! Cadê minha privacidade? — berro com a mão no peito de tão indignada que estou.

— Eu só estou cuidando de você, amor — mamãe fala com uma suavidade maternal que não me desce. — Vou tomar um banho para jantarmos. Te amo, viu? Vê se lembra disso, mocinha.

— Ela deixa um carinho no meu braço e some pelo corredor.

— Mãe! — grito bastante chateada. Frustrada, bato o pé contra o piso da cozinha.

Odeio quando mamãe e eu discutimos e ela encerra o assunto sem me deixar debater. Simplesmente vai embora. Que raiva, porque eu ainda não disse tudo o que tenho para dizer! Ela não pode me deixar de castigo por um mês! Que ódio! E eu não quero que ela me siga na internet.

— Que saco! — exclamo polvorosa.

— Olha o linguajar... — meu pai me corrige, e arrisco um olhar para ele.

Por alguns instantes havia me esquecido que papai estava presente e presenciou todo meu embate com mamãe. Isso significa que ele ouviu sobre minhas notas e que estou prestes a escutar o sermão de sempre sobre minhas obrigações, prioridades, estudos, tempo no celular, blá-blá-blá. Não tenho paciência para isso agora. Já cruzo os braços me preparando para o próximo round.

— Bem, acho que não preciso acrescentar mais nada, né, filha?

Jura que ele não fará o famoso sermão?

— Só uma coisa que sua mãe esqueceu — papai fica de pé e me olha com o semblante tranquilo. Tranquilo até demais. Começo a ficar com medo.

— Me entregue o seu celular, Rochelle — ele pede com a mão estendida.

Sinto um buraco na barriga do tamanho de uma melancia.

— M-meu... — gaguejo. — Meu celular? — Por que ele está me pedindo o celular?

— Vou confiscá-lo por algumas semanas — dispara.

Meu queixo despenca com horror da situação.

Pisco encarando o rosto do papai. Ele não faria isso. Está só me pilhando. Aposto que sim.

Solto um riso meio frouxo.

— Para de brincadeira, pai.

Mas o semblante do meu pai é sereno e sério ao mesmo tempo.

— Sua mãe já lhe deu o castigo, e agora eu estou pegando seu celular por um tempo porque está claro que ele está te distraindo. Você vai ficar melhor sem o aparelho.

Ele está mesmo falando sério? Acho que vou sufocar com meu próprio ar.

— Mas, pai?! É o meu celular! Não vou ficar melhor sem ele coisa nenhuma! — esbravejo. — É a única coisa que me sobrou no momento. Como vou viver sem meu celular, pai? — Coloco as mãos na cintura e o encaro contrariada. — Você quer ser responsável por acabar com minha pobre vida social? Como vou falar com minhas amigas? Ligar para as pessoas? Saber das notícias? Ah, não, pai, meu celular não. Qualquer outra coisa, minha coleção de conchas, meus pôsteres...

Acabo tirando uma risadinha do meu pai. Tento me empenhar mais.

— Minha coleção de chaveiros, bottons... sei lá! — Minha boca fica seca. — Pode escolher. — Abro os braços em nítido desespero.

— Sempre fico impressionado com o quanto você pode argumentar apenas para não perder aquilo de que mais gosta. — Ele coça a barba rala no queixo pontudo. — Apenas me dê o seu celular. Não adianta discutir, já me decidi. E aproveita que vou deixar você avisar suas amigas e a sua vida social que está entrando de férias por algumas semanas.

Semanas.

Semanas, caramba!

Isso é o fim! É pior que sonhar com o Predador e o Alien. Juntos.

— Você não pode tirar meu celular! — rebato erguendo o queixo com uma nova onda de coragem se derramando sobre mim. Meu pai suspende uma sobrancelha parecendo surpreso comigo.

— Ah, não? — é sua pergunta retórica.

— Não pode. Isso aqui — giro um dedo no ar — é o século vinte e um, pai. O celular é um documento. Não posso ficar sem o meu. O celular é mais que redes sociais. — Redes sociais essas que ele odeia, por sinal. Aposto que está fazendo isso por causa delas. — O celular é... — penso, penso e penso. Nada tão bonito e importante me vem. — É tudo! — cuspo por fim.

— Rochelle...

— É sério, pai. Você vai me deixar por semanas sem o celular? É ridículo! E como eu vou falar com vocês? Hein? E se eu tiver uma emergência?

Vejo nos olhos cor de chocolate dele que acertei em cheio. Ele não tinha pensado nisso.

Bingo! Venci.

Papai coça a testa e parece pensar. Até dizer:

— Você vai ficar com o tijolinho.

Meus olhos se agigantam.

— Nem pensar! — Sacudo a cabeça com força e meus cachos balançam.

— Já está resolvido, boneca. Sem celular e fim de papo. Você vai usar o tijolinho até eu decidir o contrário. Fim de discussão.

Pelo tom de voz dele eu soube que era o fim da linha para mim.

Perdi feio. De castigo por um mês e sem celular por sabe-se lá quantas semanas.

Quero chorar ao puxar o celular do bolso, mas não vou dar esse gostinho para papai. Ele não me verá derramar uma lágrima por algo "tão fútil", como costuma dizer. Só que ele não entende. Nem minha mãe. Eles nunca entendem. Estão tirando o meu mundo e nem se importam como me sinto. E ainda têm a cara de pau de falar que me amam. Amam coisa nenhuma.

Contrariada, digito uma mensagem rápida para minhas amigas explicando a situação e entrego o celular para meu pai com muita tristeza. Sinto tanta raiva que se ficar mais um segundo aqui eu vou pirar.

Dou as costas para meu pai e corro até o quarto. Bato a porta com toda a força que consigo reunir. Passo o trinco e me jogo na cama, indo descontar no travesseiro todas as emoções que não consigo extravasar.

Que ódio!

Meus pais conseguiram transformar meu dia tão feliz em um completo pesadelo.

— 10 —
Planos ameaçados

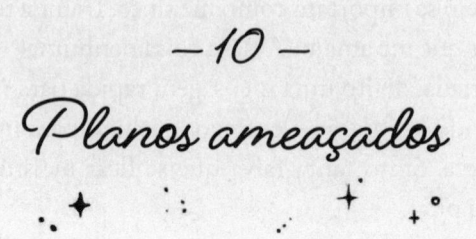

Meu dia na escola estava sendo um fiasco. Todo o trabalho de tornar meu cabelo apresentável e esconder a monstruosa espinha que havia surgido na testa não serviu para nada, visto que Zack faltou hoje. Não sei o motivo. Talvez pudesse descobrir se estivesse com um celular decente e não o dinossauro que escondo na meia porque é vergonhoso ser vista com ele.

Que chatice! Como fui reduzida a isso?

A única coisa legal que aconteceu até o momento foi Diego vir falar comigo na aula de física. Ele me perguntou como eu estava por causa da bolada. Aposto que fez isso a pedido de Zack. Fiz um pouquinho de drama como Bruna sugeriu, alegando que ainda doía aqui e ali — o que não era mentira —, mas garanti que ficaria bem e agradeci a preocupação.

Quando Diego se foi, me peguei sorrindo com a conexão que se erguia entre mim e Zack. Tudo o que eu precisava para sair da zona de invisibilidade. E que instrumento maravilhoso foi aquela bolada.

No intervalo, com minhas amigas nas escadas da biblioteca, tento encontrar um jeito de burlar o castigo de mamãe e ir ao jogo de futebol e, em seguida, à social no sábado. Pilar me encorajou a inventar um aniversário para sua mãe e implorar a meus pais que me deixassem ir. Descartei de primeira porque minha mãe conhece a tia Osana e aposto que ligaria para dar os parabéns. Nem pensar! Daria tudo errado e mamãe me esganaria. Nenhuma ideia realmente boa surgiu nesse meio-tempo. Ainda não sei como estarei lá no sábado, mas vou dar um jeito.

— Meninas, eu contei que Dinho me trouxe um presente hoje? — Bruna solta mudando o rumo de nossa conversa. Seu rosto bronzeado ostenta um lindo sorriso.

— Hum... Que fofo, ganhando presentinho do namorado — implico com ela.

— Não estamos namorando, Chér — Bruh rebate retorcendo o rabo de cavalo em um coque.

— Quase isso, né? — aponta Pilar com um sorriso esperto enquanto seus dedos digitam rápido no celular — Vocês estão de rolo antes de as aulas começarem. Isso já é namoro pra mim.

— Pra mim também — concordo com um aceno.

Bruna assume sua costumeira expressão entediada, mas dá para ver através de seus olhos que ela gosta da ideia de "namoro". É claro que gosta porque está apaixonada ainda que não admita isso. Bem o estilo da Bruh.

— Estamos nos curtindo, deixando acontecer, e está bom assim.

— Estão se curtindo há meses, o que significa que é namoro — brinca Pilar e recebe um empurrão de Bruna, que quase a derruba do degrau em que está sentada.

— Sua ogra! — grita Pilar, mas estamos rindo.

— Vê se para de ser irritante. Vão me deixar falar o que ganhei? — Bruna pergunta com uma careta. Pilar e eu ficamos quietas, mas risonhas, e ouvimos Bruna contar animada: — Dinho me deu um livro de poesia.

— O quê?! Um livro? — Minha amiga tira os olhos do celular para se concentrar em Bruna. — Você ganhou um livro, e de poesia?

— Ganhei, ué — reponde Bruna de lábios amarrados porque sabe que Pilar e eu vamos implicar com ela.

— Você nem gosta de ler, amiga. Além de detestar poesia — aponto.

— Que mentira! — ela retruca, se ajeitando no degrau abaixo do meu. — Até comecei a ler — confessa com casualidade.

— Você está lendo? — A expressão de Pilar é de choque mesclado a riso debochado.

Imito os olhos arregalados e a boca aberta para implicar ainda mais com minha amiga loira.

Bruna joga as mãos para o alto como quem se rende.

— Tá, tá. Eu não gosto de ler e sempre achei poesia uma chatice sem tamanho — ela admite. — É enjoativo, me dá sono, mas eu conversei com o Dinho sobre a minha dificuldade de ler livros e tal, e ele disse que me daria um que ele adora, aí eu... — Bruna ri mais para si. — Não imaginei que fosse ser poesia.

Pilar e eu estamos nos acabando de rir da situação.

— Por que você não falou pra ele que não curte poesia, amiga? — pergunto.

— Ah, porque ele ficou todo animadinho para me dar o livro, foi até comprar no shopping, não parava de falar do livro... Não quis desencorajar o Dinho.

— Você? Com receio de chatear os sentimentos de alguém?

— Pilar faz graça pra Bruna. — Você?

— Você, amiga? Justo você? — Eu me junto a Pilar porque Bruna não é mesmo esse tipo de pessoa. Ela fala o que quer sem se importar com o que os outros vão pensar.

— Vocês são tão idiotas — Bruna nos empurra pelos joelhos, rindo também. — É, eu. E, para vocês saberem, não que seja da conta de vocês, estou gostando do livro, tá?

Pilar e eu aproveitamos para encher um pouquinho mais a paciência de nossa amiga.

É bom ver a Bruna apaixonada para variar.

Estamos as três empurrando uma à outra, tagarelando sobre o namorado não namorado da Bruna, até que ela solta um "calem a boca" e só então percebemos, seguindo o olhar da loira, Dinho e Luciano se aproximando de nós.

Os garotos estão suados e com o rosto vermelho porque estavam jogando basquete lá na quadra. Dinho é um tanto mais baixo que Luciano. Ele é tão branco quanto Pilar, possui os cabelos no estilo militar e tem algumas manchinhas arroxeadas pelas bochechas magras. Luciano é moreno, magro como o amigo, e seus cabelos lisos, na altura do pescoço, hoje estão amarrados em um coque baixo. Na verdade, acho que nunca vi Luciano sem coque.

— E aí? Do que vocês estão falando? — Dinho pergunta do lado de Bruna no degrau.

Pilar abafa sua risada e eu não seguro a minha. Que *timing*. Tento uma tossidinha para disfarçar.

— Nada — Bruna desconversa. — Coisas aleatórias.

— Vocês vão no jogo de sábado? — Luciano quer saber, se escorando no corrimão de concreto.

Ele também faz parte do time do colégio. Confesso que quase nem me lembro disso quando assisto aos jogos, porque só vou pelo Zack.

— Lógico que vamos! — A animação é todinha de Pilar.

— Ainda não sei... — Bruna diz duvidosa. Ela não curte os jogos como Pilar e eu, ou seja, ela não tem nenhum interesse amoroso nos jogadores.

— Chér, quando você vai vir para as aulas de reforço? Hoje tem — Dinho me pergunta, e eu quase me estapeio porque me esqueci totalmente disso.

Bruna me dá um tapa na coxa que arde tanto que tenho vontade de fazê-la descer rolando as escadarias. Que amiga bruta! Brigamos, é claro, porque me acusa de estar enrolando para começar a frequentar o grupo de estudos. A verdade é que com o lance do Zack eu me esqueci de falar com o Dinho.

Aproveito o momento para afirmar que vou, sim, mas só semana que vem. Até porque, para ficar no colégio após as aulas, preciso avisar meus pais, pegar autorização, comunicar a diretoria, trazer almoço e outras coisas durante duas vezes na semana. Que suplício!

— Prometo que da semana que vem não passa.

Juro juradinho para Bruna. Minha convicção parece agradá-la, mas minha amiga faz questão de lembrar que se eu não melhorar minhas notas estarei de recuperação, e então adeus viagem.

E nada como uma possível recuperação nas férias para me motivar a estudar.

11

Estou triste, mas então ele sorri para mim

— Mãe, por favor! Me deixa ir — imploro pela segunda vez — Eu já tinha marcado com a galera do colégio. É um jogo importante e eu... eu faço parte da torcida. Preciso estar lá para motivar os jogadores.

Assim que mamãe chegou do trabalho eu já estava pulando em cima dela e implorando que me liberasse do castigo por causa do jogo de sábado. Afirmei que esse compromisso havia sido marcado antes do castigo, e era verdade, e que eu tinha confirmado com meus amigos do colégio que os apoiaria no campeonato.

Preciso estar lá! Mamãe tem de me dar permissão. Pensei em sair escondido, como me aconselhou Bruna, mas não sou tão corajosa para isso.

— Filha, mesmo se eu quisesse deixar você ir, não posso — mamãe responde, sentada no sofá enquanto tira as sandálias. Ela ergue o rosto para mim. — Você se lembra que no sábado é aniversário de seu avô?

— Que avô? — No desespero faço essa pergunta idiota. É claro que é o vô Bento, pai do meu pai, já que o pai da mamãe morreu faz

anos. — Mãe, se eu explicar para o vô Bento que tenho um compromisso do colégio ele vai entender minha ausência. Sei que vai.
Vovô é tão legal que tenho certeza de que não ficará ressentido comigo. Além do mais, os outros seis netos estarão presentes, ele nem sentirá minha falta tanto assim.
— É aniversário do seu avô, Rochelle — mamãe fala como se aquele fosse *o* evento importante. — Você vai deixar de comemorar com ele para ir a um jogo de futebol? — completa com uma careta. — Você nem gosta do esporte, minha filha.
— Gosto sim, tá? — rebato, de braços cruzados. — Aprendi a gostar por causa do... — Zack é o que eu deveria dizer — ... dos meus amigos jogadores. — Penso em Luciano, só para não sentir que estou mentindo.
— Olha, meu amor, eu quero que você vá ao aniversário do seu avô. Isso é muito mais importante que um jogo — ela reafirma, e eu começo a sentir o sangue esquentar no meu rosto. — Mas, se quer tanto ir mesmo estando de castigo... — Sua frase fica suspensa e eu fico agoniada. — Veja com seu pai se ele permite. Se ele permitir, tudo bem.
— Mas, mãe, foi a senhora quem me colocou de castigo! — Bato o pé indignada diante da ideia de ter de falar com papai.
— O aniversário é do pai dele, então peça permissão a ele — ela finaliza, se retirando para o seu quarto.
Depender da aprovação do papai é o mesmo que não ir ao jogo. Esses encontros familiares são muito importantes para meu pai, ainda mais um aniversário de setenta e tantos anos do meu vô. Caio no sofá bufando feito um touro enjaulado. Estou chateada porque o jogo e a social são um programa indispensável para mim. A primeira oportunidade que eu teria de estar com Zack fora do colégio. Uma chance de estar mais próxima do garoto e quem sabe ficar com ele do jeito que quero.

Todos os meus planos estão virando poças sob meus pés. Desanimada, irritada e um pouco triste, aceito o peso da derrota, porque não há a menor chance do meu pai me deixar ir ao jogo de futebol.

* * *

Dizer que o aniversário do vô foi chato seria exagero. Fui contrariada? Fui. Chateada com meu pai? Sim. No entanto, chegar à casa da minha avó e ser recebida com tanto carinho por ela e o vô, depois de encontrar o restante da família, amenizou um pouco minha chateação. Não consegui manter a expressão aborrecida por muito tempo.

Minha família paterna é grande, barulhenta e divertida — ao contrário da família da minha mãe, que só tem vovó Lourdes —, e eu amo estar com eles, principalmente com minhas primas Dessa e Naty, que têm a mesma idade que eu. Conversei com as meninas, comi muito, o que acontece todas as vezes que visito meus avós, e me distraí um pouco com jogos de tabuleiros e aquelas discussões que sempre surgem em encontros familiares.

O dia de sábado passou até depressa, mas quando foi anoitecendo vi que Pilar atualizou seu status indo para a social na casa de Diego. Aliás, recebi uma mensagem do próprio Diego no Instagram perguntando se eu iria para a social, já que havia me convidado no direct. Usei o celular de Igor, meu primo de dez anos — um empréstimo de duas horas que me custou vinte reais — para fuxicar minhas redes e me atualizar. Respondi para Diego que havia surgido um imprevisto de última hora e que não poderia ir.

Lá pelas nove da noite, ainda logada no celular do meu primo mercenário, vi alguns stories de colegas da escola comemorando a vitória do time, e em um deles Zack estava ficando com uma menina. Meu coração afundou na hora. Fiquei sem chão. Na legenda, o garoto, que é colega do Zack, escreveu: *"e não é que a fila andou? kkkk"*.

Enviei SMS para minhas amigas para confirmar se aquilo era verdade. Pilar me respondeu que sim, e afirmou que não era Brenda — como se fosse doer menos meu coração partido —, mas sim uma menina de fora do colégio. Entrei numa mistura de tristeza e raiva. Como doía ver o garoto que eu amo nos braços de outra, beijando-a como eu queria ter sido beijada. Meus olhos ficaram rasos de água e me obriguei a ir chorar escondido no banheiro da vovó. Em casa, me tranquei no quarto ouvindo "Only Love Can Hurt Like This" repetidamente, e chorei até pegar no sono.

No domingo, tudo o que queria era ficar quieta no meu canto, embolada na cama, comendo e chorando sem que ninguém me perturbasse. Minha mãe deixou? Claro que não. Ela me obrigou a ir à igreja com ela, meu pai e vó Lourdes.

Estava estampada na minha cara inchada o quanto eu estava mal. Minha mãe pareceu preocupada e me perguntou o que estava acontecendo, mas eu jamais revelaria que tinha a ver com "dor de cotovelo". Ela não sabia nada sobre meus sentimentos por Zack — embora desconfiasse que eu gostasse de alguém porque me ouviu trocando áudios com Pilar certa vez e me perguntou a respeito. No entanto, falar sobre meus sentimentos não era o tipo de assunto que gostaria de dividir com mamãe.

Fui à igreja chateadíssima e sem meu celular comigo para passar o tempo. Foi dose ouvir o pastor pregar um sermão que eu não entendia nada. Uma tortura! O ápice da chatice foi ouvir a irmã Celinha cantando "Solta o cabo da nau" e a igreja respondendo "Soltei!". Chegada a hora de ir embora, tive de cumprimentar a igreja toda — a maioria gente de idade — e ouvir o irmão Dionísio contar por minutos — e *cuspindo!* — sobre suas férias na casa da filha. Voltei para casa com uma dor de cabeça absurda e com gotículas da saliva do irmão Dionísio na roupa. Eca!

Na segunda-feira, acordei péssima. Parecia que minha face estava entupida de tanto que havia chorado nesse fim de semana. Não quis fazer maquiagem. Prendi os cachos num coque firme porque não tive forças para arrumar. Levei minutos procurando meu estojo, tropecei e bati o pé na quina do armário, fui para o colégio aos trancos, premiada com uma espinha enorme que nascia no centro da minha testa.

Que manhã infeliz!

O caminho até a escola não foi nada agradável. Eu, emburrada no banco do carona após pedir meu celular de volta para meu pai, que entrou num monólogo interminável. Não me deu a mínima e ainda tive de ouvir mais um sermão costumeiro sobre responsabilidades, direitos, deveres, que ainda não era a hora de eu ter o celular de volta e assim por diante. Papai estava me punindo porque ele tem problemas com tecnologia, sem contar que seu método de castigo era arcaico e sem fundamentos. Ridículo, no mínimo.

Que droga de vida!

O dia mal havia começado e eu só implorava aos céus que já fosse noite outra vez.

Na aula de filosofia, quase caio no sono. Quase, porque minhas amigas ficam me enchendo de SMS, aos quais respondo monossilabicamente porque não tenho energia nem para digitar.

No tempo seguinte, o professor de geografia distribui algumas questões do Enem a serem resolvidas em dupla e todo mundo na classe começa a arrastar as cadeiras para fazer seus pares. Como ainda não tenho colegas íntimos nessa turma, fico sem saber com quem fazer os exercícios. Aqui estou eu, mordendo a ponta do lápis, tentando encontrar alguém para fazer o trabalho. Ninguém me olha de volta. Decido fazer sozinha, não seria a primeira vez.

Já inclinada sobre a folha, sinto alguém cutucar meu braço e tomo um susto. Um susto que me faz engasgar com a própria saliva quando olho para trás.

Zack, sentado atrás de mim, brinca com uma caneta entre os dedos.

Como foi que não percebi que ele estava bem atrás de mim? Quando cheguei não o vi pela sala e imaginei que ele tivesse faltado. As segundas não são os dias preferidos de Zack.

— E aí? Tudo beleza, Rochelle? — Zack está falando comigo.

Fico muda por uns segundos até piscar para espantar o olhar de boba.

— Sim — falo baixinho.

— Você me perdoou por causa da bolada, não é? — Zack faz um bico com os lábios como se quisesse sorrir.

— Claro — balanço a cabeça de leve. — Não sou de guardar rancor — brinco, torcendo o pescoço para ver Zack por sobre um ombro.

— Que bom! — Agora Zack me brinda com um sorriso muito charmoso, e meu coração esquece o quanto chorou ontem. Se fiquei triste, não lembro. — Você tá sem dupla? Quer fazer os exercícios comigo? — Sua pergunta me pega desprevenida. — Mas já adianto que não sou muito bom em geografia... — Ele quica os ombros por baixo da regata num gesto casual.

Zack quer fazer dupla comigo?

— Eu...

Ai, meu Deus!

Meu berro fica entalado na garganta e me viro para a frente com rapidez ao me dar contar de como saí de casa hoje. Nenhuma maquiagem no rosto, pequenas espinhas novas e o cabelo preso num coque mal feito cheio de frizz. Estou horrorosa!

Caramba, como pude olhar para Zack assim?

— Rochelle, se você não quiser fazer comigo, fica de boa, tá? — ele fala nas minhas costas.

— Não é isso — rebato de imediato. — É que...

O que eu falo? É lógico que quero ser sua dupla, mas tem como você não olhar para mim hoje?

— Você também é ruim em geografia? Não tem problema, a gente se ajuda.

Como ele soou fofo! Sério, que vontade de me virar e puxar Zack pelo pescoço para um abraço.

Esse é o tipo de vontade que dá e não passa.

Quanto à minha aparência, não há nada que eu possa fazer agora. Se estou insegura? Muito! Não queria que Zack me visse assim, de cara limpa e cabelos presos. Ao mesmo tempo, sei que não posso perder essa oportunidade de ficar perto dele.

Por isso, animada e insegura, me viro para sorrir de leve e digo:

— Vamos fazer dupla.

— 12 —
Um convite e uma decisão

Zack me deixa nervosa. Muito nervosa. Fico sem saber o que falar ou fazer. Esse é o efeito que o olhar e voz dele têm sobre mim. Ele puxou sua cadeira para colocar ao meu lado e minha barriga parece que se prepara para vomitar — o que seria terrível e cavaria minha cova se acontecesse.

Seu braço, repleto de pelinhos loiros, esbarra no meu quando ele sublinha algo no texto e dentro de mim tudo congela. É como se meu estômago fosse ocupado por um iceberg. É sério! Até minhas mãos estão frias. Digo a mim mesma para respirar e me acalmar, mas não tenho estrutura para isso. Observo Zack concentrado na leitura enquanto me sinto gelada e quente ao mesmo tempo, um grande paradoxo.

— Você terminou de ler? — ele me pergunta, batendo com a ponta do lápis no meio de sua folha.

— S-sim — minto, fixando os olhos na frase "baixa pressão atmosférica no litoral" que leio repetidas vezes.

— É melhor pularmos para a próxima e depois voltamos nessa. Pode ser? — Zack sugere.

Apenas faço que sim e deparo com um gráfico.

— Ai — gemo. — Sou péssima com gráficos.

— Relaxa. — A voz dele é tranquila, e seu ombro toca no meu de forma amigável.

Minha pulsação dispara. Encaro Zack, que está me olhando de um jeito que faz meu coração dar piruetas. Contenho o sorriso bobo que insiste em surgir nos meus lábios.

Na boa, um garoto não podia ser tão lindo assim. É um verdadeiro perigo.

Minutos se passam e conseguimos resolver quatro questões de oito. Nesse meio-tempo, Zack se mostra tão inteligente que me sinto meio burrinha perto dele. A coisa boa é que Zack me ajuda a interpretar gráficos e me dá uma breve aula sobre terremotos. Para quem dizia que não era bom com a matéria, ele me surpreende.

Conforme ele fala, fico mirando sua boca, me perguntando como seria finalmente ser beijada por Zack. Fantasias de nós dois juntos surgem em minha mente, me deixando ansiosa e constrangida. Vou de sonhadora para triste tão logo a foto de ontem, Zack aos beijos com a ruiva desconhecida, enche meus pensamentos.

Como o garoto escreveu no story, a fila andou — bem mais rápido do que eu previa, e com outra garota! Isso me inquieta e bagunça todas as minhas ideias de conquista. Pensei que, tendo seu término com Brenda sido tão recente, talvez Zack quisesse ficar sozinho por um tempo. É claro que me enganei.

Será que ele já está gostando dessa ruiva? Ou pior, será que ela foi o motivo de Zack ter terminado com Brenda? Juro que não posso suportar vê-lo com outra garota que não seja eu. Tem de ser eu! Não aguento mais sofrer assim.

— Pela sua cara você não está entendendo nada — ouço Zack dizer, me obrigando a deixar de lado minhas reflexões dolorosas.

— Textos grandes me cansam — é o que digo, apoiando o rosto na mão e o fitando pelo canto do olho. — Desculpe — peço.

— É que estou com muita coisa na cabeça. Péssimo dia para resolver questões do Enem.

— Sorte sua que você me tem — Zack me lança aquela piscadela charmosa que me faz querer beijá-lo.

Disfarço. Mal sabe ele que tudo o que mais quero na vida é tê-lo para mim. Que essa frase doeu e trouxe esperança, tudo ao mesmo tempo. Mais que estar perto assim, lado a lado, eu desejo que ele me abrace, que segure minha mão, que me beije, que sejamos um casal... quero o pacote completo de romance com Zack.

— Escuta, Rochelle — Zack me chama, e eu coloco meus olhos nas suas lindas safiras.

Ele é delirante de tão lindo.

— Pode me chamar de Chér — indico com um sorrisinho tímido.

— Chér — Zack testa meu apelido, o som é rico e ele parece apreciar. — Estou organizando um encontro lá em casa no sábado. Vai ser meu aniversário. Estou convidando alguns colegas, e seria legal se você fosse.

Calma. Muita calma. Só tenta não ficar com essa expressão de estátua horrorizada. Fecha a boca!

Zack acabou de me convidar para sua festa de aniversário?

Primeiro ele me segue nas redes, agora faz dupla comigo na aula e então me convida para sua festa de aniversário?

O que está acontecendo? Ele está me notando de verdade?

— Me passa seu zap que vou te mandar o convite com o endereço.

Assinto como uma tonta. Dito meu número, que Zack está mesmo anotando em seu iPhone.

Carambolas! Ele tá pegando o meu número!

— Prontinho. Tá convidada, linda.

Recebo uma piscadela charmosa, e lá se vai meu estômago escorregando em queda livre.

— Legal — é o que a tapada aqui responde.

Como estou nervosa! Engulo para poder dizer:

— Vou sim, claro. Obrigada pelo convite.

— Espero mesmo que vá — Zack fala com um sorriso de canto e volta a analisar sua folha de exercícios.

Nem sei o que falar. Estou perdendo a capacidade de usar palavras e formar frases.

Por falar em frase, o que Zack quis dizer com "espero mesmo que vá"? Isso significa alguma coisa, não? Tem de significar. Será que... *ai!* Nem consigo verbalizar mentalmente, com medo de ser um sonho, porque quero muito, mais que tudo, que se torne realidade.

Mas, tudo bem, vou arriscar:

Será que Zack está a fim de mim?

A possibilidade de Zack estar interessado em mim me faz perceber que não posso mais perder tempo. Está claro que seu término recente não significa nada para ele. Até já beijou outra garota, e aquela foto ainda me assombra. Apesar de querer ir com calma e esperar que ele peça para ficar comigo do jeito que eu sonho, não posso deixar outra garota roubar minha chance. É por isso que preciso dar um passo ousado. Decidi que vou deixar Pilar ser minha mediadora nessa questão. Vou pedir para ficar com Zack no dia do aniversário dele.

— 13 —
Esforço e reforço... aff

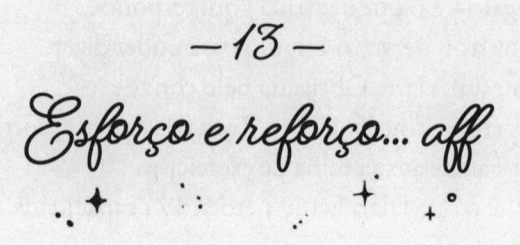

No intervalo do dia seguinte, dou continuidade ao plano de ser notada. Se Zack começou a ficar interessado em mim eu deveria, nas palavras de Pilar, oferecer mais combustível para ele. Como os meninos foram jogar basquete, inclusive Dinho e Luciano, me sentei com minhas amigas no fatídico banco que me rendeu a inesquecível bolada. Bruna levou o livro de poesia, e foi o bendito que usei para fingir ignorar Zack e ao mesmo tempo enviar olhares discretos, como Pilar aconselhou. Brinquei com meus cachos, fiz e desfiz o coque, tentei mostrar meu sorriso por cima do livro como se estivesse rindo de algo que Bruna falava.

Na sala de aula, mantive o disfarce e me permiti apenas uma vez, de relance, dar uma olhada mais demorada em Zack para segundos depois seu olhar encontrar o meu. Gelei. Escondi meu rosto e fingi estar resolvendo as questões de matemática no livro, ou não resolvendo, no caso. Zack foi embora antes de mim quando a aula terminou. Lamentei e segui aborrecida para a aula de reforço.

Agora estou aqui, pensativa sobre o olhar de Zack, enquanto coloco a mochila em cima da mesa redonda de seis lugares na biblioteca. Queria poder dar uma espiada no insta ou no zap, e saber se Zack não me mandou mensagem ou comentou na minha última foto. Encaro o tijolinho e fico irritada com minha nova realidade. Quero meu celular de volta!

Bato o livro de matemática sobre a mesa com mais força do que pretendia. O pessoal ao redor pede silêncio, e uma onda de vergonha cai sobre mim. Meu sorriso é sem dentes à medida que me sento encolhida.

A biblioteca não é um lugar assim tão grande. É bastante fria, com mesas retangulares e redondas distribuídas logo na entrada e alguns alunos debruçados sobre livros e cadernos. Nos cantos, abaixo das vidraças transparentes que permitem a entrada da luz de início de tarde, um pingado de estudantes absortos em seus livros está sentado nas poltronas. Ao fundo, dezenas de prateleiras de madeira abastecidas com milhares de livros intocados.

O ambiente da biblioteca tem um ar muito intelectual, como se fosse um espaço sério reservado apenas para os inteligentes. Sempre que venho aqui fico deslocada, por não ser o tipo de garota que se interessa por literatura. Estudar ou ler um bom livro é tão penoso para mim... a hora seguinte é uma mistura de tédio e chateação.

Matemática é a pior matéria do universo. Sério! Como alguém consegue entender? Ou pior, gostar e ficar entusiasmado? Dinho é mesmo de outro mundo. Um mundinho feito para os apaixonados por exatas. Luciano, seu auxiliar na aula, parece entender do assunto, mas não tem toda essa alegria que o namorado — não namorado ainda — da minha amiga exala.

— Chér, você entendeu? — Luciano quer saber me encarando com atenção.

Bocejo, piscando para me recompor, e sacudo a cabeça num mais ou menos.

— Pode me explicar outra vez? — peço porque viajei por bons minutos e perdi a explicação.

Atencioso, meu colega endireita o gorro cinza na cabeça e me ajuda a compreender a questão apesar de meus bocejos. Mesmo após várias tentativas, Luciano é superpaciente, e tenho de confessar que fico com pena do garoto porque minha burrice sugou sua inteligência. Digo que entendi a questão mesmo sem ter entendido de fato.

Por fim, nossa tarde de estudos termina. Arrumo meu material às pressas. Observo a biblioteca mais vazia enquanto ouço meus colegas perguntando uns aos outros onde moram e como vão para casa. Descubro que Luciano mora perto de mim.

— Também vou para esse lado — indico com a mão. O fato de morarmos perto é algo legal. Seguro a mochila pela alça e me viro para Luciano. — Podemos ir juntos.

O garoto concorda, e assim que deixamos o colégio Luciano e eu vamos conversando amenidades e nos conhecendo melhor ao longo do caminho. Descubro que ele pratica parkour, esporte que eu só conhecia de ouvir falar, e ele me conta quanto gosta da adrenalina dos exercícios.

A conversa flui tão naturalmente com Luciano que nem percebo quando chegamos ao prédio.

— Moro ali — aponto para o edifício antigo com uma grande amendoeira na frente e, de repente, me lembro que Luciano comentou que sua casa ficava perto da antiga locadora, algumas poucas ruas antes da minha.

— Ei! — exclamo, tocando seu ombro. — Sua casa! Já passamos por ela.

— Eu sei — ele responde calmo, enfiando as mãos no bolso da calça jeans. — Quis te acompanhar até sua casa. — Ele encolhe os ombros como se não fosse grande coisa ter caminhado um pouco mais. — Não ia deixar você vir sozinha.

Que gentil. Sorrio agradecida.

— Obrigada, mas não precisava. Estou acostumada com o caminho, e agora você vai ter que andar bastante até sua casa.

— Moleza — Luciano fala com suavidade. — Tenho amigas que moram no seu prédio.

— Jura? Quem são? — Fico curiosa, porque conheço todo mundo do meu condomínio.

— Conhece a Talita e Thabata?

— Sim! — soo entusiasmada. — Elas são suas amigas?

Luciano confirma com um aceno.

Faz poucos meses que as meninas se mudaram para meu prédio, e já nos esbarramos algumas vezes pelas escadas e no pátio. Até conversei com Talita, que é supersimpática.

— Na verdade, nossos pais são amigos há muitos anos. Crescemos juntos, então somos como primos — Luciano conta.

— Que bacana. Se eu encontrar as meninas, vou comentar que te conheço e que estudamos juntos.

Luciano me dá um meio sorriso e arruma a mochila nas costas.

— Vou nessa, Chér. A gente se vê no colégio.

— Obrigada pela companhia — falo outra vez.

Nós nos despedimos, e eu entro no prédio, vendo Luciano ajeitar o gorro e encaixar as mãos no bolso do casaco vinho da escola. Ele pega os fones brancos ao redor do pescoço e os encaixa nas orelhas, movendo os lábios devagar enquanto cantarola a música que ressoa em seus ouvidos e segue caminho pela calçada em direção oposta à minha casa.

Subo os lances das escadas pensando em como Luciano é um garoto legal.

— 14 —
Inseguranças e expectativas

O restante da semana passa depressa e pode ser assim resumido:

Fui à escola, tentei ser vista ainda mais por Zack na hora dos intervalos e nos treinos do futebol, frequentei as aulas de reforço, o curso de inglês, ajudei vovó com a loja e fiz mais um monte de outras coisas aleatórias. Não pude pensar em mais nada a não ser no beijo que desejo receber de Zack no sábado. Estive ansiosa para a festa chegar logo ao mesmo tempo que queria que demorasse para eu me sentir mais preparada. A festa de Zack é amanhã à noite, e estou tentando não pirar.

Ontem fiquei tão estressada me questionando como beijar o garoto sem parecer inexperiente — o que é impossível porque nunca beijei ninguém — que fiquei longos minutos lendo sobre "como beijar pela primeira vez" em blogs e vídeos no TikTok, e até treinei no braço a ponto de sentir vergonha de mim mesma e parecer uma idiota porque o braço não tem língua, então era óbvio que não deve ser a mesma coisa. O que o desespero não faz. Com certeza esse é um tipo de momento embaraçoso que nunca vou comentar com ninguém, nunca, nunquinha, e que levarei para o túmulo.

Também briguei com meu pai ontem, de novo, porque exigi meu celular de volta e está sendo uma tortura usar o tijolinho.

Implorei que ele me devolvesse, até porque eu tenho uma festa para ir e preciso levar o celular, é uma questão de necessidade. Papai disse que iria pensar.

Depois do confronto com papai, foi a hora de me preparar para a batalha com minha mãe, porque precisava convencê-la a me liberar do castigo ridículo. Expliquei, usando a mesma desculpa da semana passada, que tinha esse compromisso marcado antes do castigo e que o aniversariante era um amigão meu. Como, infelizmente, não pude ir ao futebol pedi para ter passe livre no sábado. Para minha chateação, minha mãe não foi assim tão compreensiva, não queria que eu fosse à festa e inventou um monte de desculpas. Porém, de tanto suplicar e choramingar, ela me deixou ir.

Fiquei mais aliviada, mas logo me desesperei ao reclamar com minha mãe que não tinha nada de novo no guarda-roupa e não queria ir para o aniversário do Zack com roupa velha. Nem pensar! Preciso estar perfeita amanhã, por isso pedi à minha mãe que me levasse ao shopping para comprar um vestido e também um presente para o Zack, é claro.

Agora estou aqui, tentando jantar com meus pais sem fome nenhuma, e apenas vou revirando a comida no prato com o garfo. Sinto essa inquietação esquisita e vontade de roer todas as unhas que pintei de tarde. Meus pensamentos estão confusos e tão acelerados que não consigo encontrar um lugar tranquilo dentro de mim.

E se Zack não quiser ficar comigo? E se eu morder o garoto? Ou babar demais ou bater dentes? Nunca beijei ninguém, droga. Posso fazer tudo errado e estragar minha chance.

Não consigo acompanhar a conversa de meus pais à mesa e não aguento mais olhar para a comida. Tomo o copo de água e vou para o quarto. O tijolinho vibra em cima do edredom e tomo um susto. Olha só meu estado! Assustada com o celular vibrando.

Tenta relaxar, Chér! Vai dar tudo certo com Zack.

Converso comigo em pensamentos, numa tentativa de ser otimista. Preciso me focar em outra coisa ou vou pirar. Assim, decido analisar o vestido que comprei com mamãe e que pendurei na porta do guarda-roupa. Devo confessar que vestidos não são meu tipo favorito de roupa. Prefiro jeans, camisa básica e tênis. Um estilo casual e prático. Para a festa de Zack escolhi um vestido porque... bem, é uma festa, né? E eu queria me sentir mais bonita, e o vestido ficou perfeito.

Mais cedo provei o vestido com tênis e gostei do look, mas mamãe desaprovou e me fez experimentar uma de suas sandálias de tiras. Sapato de salto é algo que não tenho porque sempre me acho esquisita usando, além de que tenho problema com equilíbrio e sou desastrada. No entanto, a sandália de mamãe me deu segurança e combinou bem mais com o vestido que os tênis. Por isso, separei para usar na festa.

Aproveito para escolher as coisas que vou levar para a casa da tia Osana. Como Pilar também vai à festa com Vicente, tivemos a ideia de nos arrumarmos juntas. Ainda bem que mamãe não encrencou e até disse que me levaria de carro. Separo também minhas maquiagens, roupas íntimas, produtos para o cabelo e outras coisas de que devo precisar. Arrumo meus itens dentro da mochila, em cima da cama, no mesmo instante em que a porta do quarto se abre e papai coloca metade do corpo para dentro.

— Podemos conversar, filha?

Lanço um olhar desconfiado e temeroso para seu Luís. Essa história de "vamos conversar" nunca é coisa boa. Toda vez que papai vem com essa, uma bronca e um sermão chegam logo depois.

O que eu fiz agora?

Meu pai entra, mas deixa a porta entreaberta.

— Sua mãe falou da festa que você vai amanhã — ele comenta, coçando o cotovelo direito. — Você vai com a Pilar, é isso?

— Vou. Estou terminando de arrumar minhas coisas pra ir para a casa dela. A mãe deixou, tá? — informo.

— Sim, sim. Ela falou.

— Ah... — Fecho o zíper da mochila.

— Podemos conversa, filha? — ele insiste, já sentado na beirada da minha cama.

— Tenho alternativa? — jogo de volta, e meu pai me lança um sorriso engraçado.

— Bom, se você não se interessa em conversar sobre ter seu celular de volta...

Papai ameaça se levantar, mas depressa eu empurro seus ombros largos para baixo afundando-o na cama.

— Pode ficar. Tô superinteressada no assunto. — Abro um sorriso. *Finalmente!* — Cadê meu celular? — Estendo a mão pedindo, e meu pai saca meu aparelho do bolso da bermuda e me dá. Simples assim.

— É sério? — questiono surpreendida já ligando o aparelho. Que saudades eu estava dele!

— Seu tempo de privação terminou... por enquanto.

— Ah, pai, qual é! — Bato um pé no chão. — Foi superchato você ter ficado com meu celular por mais de uma semana. Sabe o quanto isso prejudicou minha vida?

— Minha filha, eu tenho certeza de que foi benéfico para você. Não vi você andando feito zumbi pela casa — ele fala contando nos dedos. — Aposto que prestou mais atenção nas aulas, se interessou pelo reforço, não dormiu além do horário, não acordou cheia de vídeo na cabeça, não queimou nenhum arroz nos últimos dias...

Fecho a cara e papai dá uma risadinha.

— Não tem graça — resmungo, com aquela revirada nos olhos, e abro o zap quando meu pai tira o celular da minha mão.
— Pai?!

— Tá vendo? Já está voltando para o modo zumbi — acusa torcendo os lábios. — Me deixa conversar com você olhando para mim, pode ser, boneca? Nesses olhos aqui. — Ele toca os próprios olhos e eu solto um resmungo. — Quero que você preste atenção porque é importante.

Aff. Lá vem sermão.

Tudo bem. Vou fingir que ouço até ele terminar e, enfim, terei meu celular outra vez. Isso é motivação suficiente para escutar todo o blá-blá-blá do meu pai.

— Tá — me rendo, caindo do lado dele na cama. Coloco a mochila no chão. — Pode falar.

* * *

Tive de ouvir meu pai discursar por quase meia hora sobre minhas prioridades com as questões da escola, meu vício no celular, o quanto a tecnologia me prejudica e mais uma boa dose do seu sermão chato. Nem reclamei, apenas acenei como quem concorda com cada palavra ouvida. Assim papai ficou feliz por eu prestar atenção nele, ou fingir, no caso, e eu fiquei feliz por esse ser o meio necessário para ter meu precioso celular comigo.

Assim que meu pai sai do quarto, não perco mais nenhum segundo longe do mundo virtual. Estou tão feliz que distribuo beijinhos pelo meu aparelho tão amado. Entro no zap e conto para as meninas que a Chér moderninha voltou com tudo.

"*Agora que estava gostando de usar o SMS.*"

É o que Pilar me escreve e me faz rir. Logo começamos a conversa no grupo que temos com Bruna. Pilar celebra meu retorno às redes e já falamos sobre a festa.

>Chér: Amiga, já deixei tudo pronto para amanhã! Estou animada.
>Pilar: Vai ser tão legal a gente se arrumar juntas, amiga. Também estou animada!
>Chér: Ai, Pilar. Não consigo fazer mais nada a não ser pensar em ficar com Zack na festa. Acho que vou vomitar de tão nervosa que estou.
>Chér: Será que vai dar certo? Tô me sentindo tão insegura. Sei lá!
>Pilar: Normal, amiga. Vai ser o seu primeiro beijo, e com o garoto que você adora. Não tem como não ficar ansiosa. É supernormal!
>Chér: E se o Zack não quiser ficar comigo, Pilar?
>Chér: Amiga, eu não tô preparada para um não :'(Vou ficar arrasada.
>Pilar: Chér, para de ser pessimista! Pensa positivo. Vai dar certo.
>Pilar: Zack vai topar, eu tenho certeza!
>Bruna: Cheguei, ogrinhas! Estão falando do quê?
>Pilar: Chér tá nervosa com medo do Zack não querer ficar com ela.
>Bruna: Relaxa, amiga. Esse nervosismo é normal e não vai passar, já adianto.
>Chér: E se eu fizer algo de errado? Babar muito, ser rápida ou morder o Zack?

Começo a digitar todos os meus medos em enxurradas de mensagens.

>Bruna: Seu modo enlouquecido está ativado, hein ogrinha hahaha
>Pilar: kkkk ela tá pirando.

Chér: Amigas, me ajudemmm (emoji chorando)
Bruna: Todo mundo passa por isso, Chér. Não vai ser perfeito. Vai ter duelo de línguas, muita saliva e dentes batendo. Supernormal.
Chér: Me deixou mais assustada, Bruh.
Bruna: Meu papel é ser a amiga sincerona, você sabe.
Bruna: Tomara que Zack não tenha bafo. Seria trágico hihi
Chér: Você é horrível, Bruna. Aposto que Zack não tem bafo rs
Bruna: Não esquece de levar o chiclete que te dei. É sempre bom ter um para oferecer.
Pilar: kkkk o melhor conselho.

Converso com minhas amigas por longos minutos. São mensagens leves e divertidas que ajudam a dissipar, ao menos um pouco, a ansiedade e o medo. Depois tomo um banho, atualizo as redes sociais e assisto ao capítulo de um dorama no celular até adormecer.

— 15 —
Que seja assim, que seja

Não dormi nada durante a noite. Tive um pesadelo horrível. Sonhei com um lobo de pelos brancos e olhos hipnotizantes. O animal era tão bonito que me atraia, brincava comigo, comia na palma da minha mão, e depois me atacava com suas garras afiadas. Se eu fecho os olhos ainda consigo ver a cena com clareza. Sinto a ardência que suas garras causaram em minha pele. Parecia tão real, senti tanto medo, tanto desespero... só de lembrar fico assustada.

A imagem do lobo volta, e eu aperto os olhos com força. Aquele par de patas me agarrando de repente e me arrastando para longe... a dor das feridas... o coração vai acelerando outra vez, tomado de pavor. Abro os olhos. Sacudo a cabeça para espantar a memória recente. Tento pensar em coisas boas como o oceano, o céu azul, florestas, a chuva que eu amo, numa tentativa de obrigar minha mente a não ficar relembrando com insistência o pesadelo.

O dia clareia aos poucos. Continuo na cama com os pensamentos a mil, roendo a unha do dedinho, e é desse jeito que minha mãe me encontra ao bater à porta do meu quarto, de camisola azul, e enfiar a cabeleira castanha para dentro. Só de olhar para ela a sensação ruim que se alojou em mim vai sumindo. De uma forma estranha, saber que minha mãe está aqui me traz segurança.

— Bom dia — ela abre um sorriso preguiçoso no rosto um pouco amassado.

Acho que mamãe tem isso que chamam de intuição materna, porque ela me encara por alguns segundos e, como não respondo nada, entra de vez no quarto e pede espaço ao meu lado na cama. No mesmo instante já estou tombando minha cabeça em seu ombro, buscando aconchego em seu cheiro familiar.

— Dormiu bem? — ela quer saber, alisando meus cachos embolados.

— Não muito. Tive um pesadelo — sussurro.

— Quer me contar o que foi?

— Na verdade, não, mãe — respondo me aninhando mais em seu corpo quentinho.

Mamãe beija minha testa e me abraça apertado, logo em seguida ameaça me soltar, mas ainda não estou pronta para sair de seu abraço. Ela salpica beijinhos na minha cabeça.

— Que saudades de nós duas assim tão agarradinhas — fala com a voz meiga.

— Também estava — confesso estalando um beijo rápido em sua bochecha. — Te amo, mãe.

— Jesus do céu! Que pesadelo foi esse que você teve, Rochelle? Eu morri, foi isso?

Mamãe se afasta para encarar meu rosto. Olho com horror para sua expressão de espanto.

— Claro que não, mãe! — rebato entredentes.

— Para você dizer que me ama de maneira espontânea... tem coisa aí. — ela fala desconfiada, mas me dá um sorriso bastante satisfeito. — Fazia tempo que você não dizia que ama a mamãe.

— E então me abraça outra vez.

— Aff — arrasto a palavra fazendo careta. — Tão carente quanto meu pai, viu?

— Sou mesmo. Carente de carinho da minha bebê. Você era tão amorosa quando pequena... — Um olhar de saudade surge no rosto dela. Seus olhos brilham. — Tinha bracinhos tão finos, amava ficar enroscada no meu pescoço, fazendo carinho no meu rosto...

— Agora sou grandinha, né, mãe — aponto, mas passo um braço por sua cintura.

— Grandinha e nem liga mais pra mim. — Ela finge fungar e até enxuga lágrimas falsas do rosto.

— Quanto drama, hein? — estalo a língua atrás dos dentes em censura, mas rio.

— Pode dizer que me ama mais uma vez? Eu amo quando você fala.

— Vou deixar anotado para esse mesmo dia no ano que vem, pode ser? — brinco, e mamãe solta um resmungo nos fazendo rir.

— Garotinha atrevida. — Ela belisca minha bochecha de leve e salta da cama. Espreguiçando-se, avisa: — Vou fazer o café. Aproveita que já está acordada e toma seu banho de mil horas — ri. — E vê se termina de arrumar suas coisas e confere tudo, Rochelle. Não quero ter que levar nada depois na casa da Osana. Que horas é a festa que você vai hoje mesmo?

A festa! *Ai, minha nossa!*

Por causa do pesadelo acabei me esquecendo por um momento que hoje é o dia da festa. É hoje!

O meu grande dia.

Mamãe me deixa sozinha e dou um pulão para fora da cama indo parar na frente do espelho. A garota descabelada, cheia de remelas e usando pijamas de unicórnio está sorrindo para mim como uma boba. Meu coração está dançando sua própria música agitada, e sinto essa energia boa percorrer meu corpo inteiro. Pego o celular entre as cobertas e coloco minha playlist para dançar. Danço ao som da Taylor de maneira desajeitada e esquisita, me acabando de rir de mim mesma.

Olho para meu vestido e um gritinho animado me escapa.

Eu, Rochelle, finalmente, vou perder o meu bv com o lindo do Zack.

Ninguém me belisca, porque se estou vivendo um sonho não quero acordar nunca. Nunquinha!

* * *

Depois de almoçar com meus pais no apê de vó Lourdes, mamãe me deixa na casa de Pilar, como combinado. Bastou nos vermos ainda na calçada para minha amiga e eu iniciarmos nossa festinha particular. Não conseguimos conter nossa euforia. Além de amar estar com Pilar e fazer esse tipo de programa juntas, ver minha amiga tão empolgada pelo meu momento duplicou minha alegria e ansiedade. É bom ter amigas que celebram cada conquista minha. Sei o quanto sou sortuda por ter Pilar em minha vida. Meu desejo é que fiquemos juntas para sempre.

Nossa tarde foi supergostosa. Pilar e eu nos divertimos muito, comemos porcarias, dançamos, escovamos o cabelo e nos maquiamos. Ela vinha tentando há um bom tempo me fazer pôr cílios postiços, e vibrei empolgada com a possibilidade de usá-los pela primeira vez. Só que Pilar apareceu com a suposta colinha mágica que fixava o cílio falso no meu verdadeiro, e aquilo não me pareceu uma ideia muito agradável. E se aquela cola grudasse nas minhas pálpebras e eu nunca mais conseguisse enxergar? E se aquilo soltasse e caísse dentro do meu copo de refrigerante? Ou pior, caísse na cara do Zack enquanto nos beijássemos? Credo! Desisti na hora de colocar os benditos dos cílios.

Diante desse meu estado, a insegurança me atacou sem dó e embrulhou meu estômago a ponto de achar que vomitaria. Pensei até em desistir de ir à festa, de tão nervosa que me vi. Não fosse a firmeza de Pilar, que me arrastou para sairmos, é bem provável que meu medo tivesse vencido e eu perdido todas as minhas chances de ficar com Zack. E, após todo o meu drama, seguimos para a festa e logo estacionamos em frente ao prédio do aniversariante lindo.

Pilar está arrumando o vestido preto justo que subiu um pouco nas coxas e eu estou tentando tirar os vincos no tecido fino do meu vestido rosê. Se eu soubesse que esse pano amassava fácil teria escolhido outra roupa. Ninguém merece chegar toda amarrotada em uma festa.

— Vê se tá melhor — peço para Pilar, que troca mensagens com Vicente.

— Nem dá pra ver, Chér. Relaxa, amiga! — Ela me lança um sorriso como se ele fosse fazer minhas inquietações sumirem. Bem que eu queria.

Enquanto Pilar liga para o ficante-quase-namorado, tento ajeitar minha roupa e retoco meu gloss. Aperto as tiras das sandálias, que estavam frouxas. Dedilho os cachos jogando uma parte das mechas para as costas. Resisto à tentação de coçar os olhos ou vou borrar tudo com meu rímel. Meu estômago está tremendo, e coloco a mão sobre ele como se pudesse aplacar essa onda de nervosismo que me devora por dentro. E ainda nem vi Zack. *Socorro!*

— Vamos entrar, amiga. — Pilar me guia pelo cotovelo. — Vicente já chegou, acredita? — Ela torce os lábios guardando o celular na bolsa. — Esqueceu de me avisar. Garotos...

Ajeito a pequena bolsa no ombro e seguro entre os dedos úmidos a sacola com o presente de Zack. Espero que ele goste da camisa de time de futebol que comprei para ele. Sigo Pilar, que lidera o caminho até a portaria enquanto tento me equilibrar em cima das sandálias e acompanhar seus passos rápidos.

Apenas dizer que iríamos à festa de Zack foi o suficiente para sermos liberadas para atravessar os portões cor de bronze do prédio. O condomínio do Zack é imenso. Há três edifícios espalhados pela área comum, que é cercada de árvores, canteiros e... minipiscinas? Há chafarizes, cascatas, esculturas que cospem água para todos os lados. Agora o nome do condomínio faz sentido, Portal das Águas. É muito lindo.

A noite está fresca, e sinto os pelinhos do braço arrepiarem de repente, quando um ventinho frio passa por mim. Encaro o céu azul petróleo salpicado de estrelas prateadas conforme respiro o aroma gostoso das plantas que me cercam. Por alguns segundos consigo apreciar esse lugar tão bonito.

— A festa é no salão juvenil do prédio, Chér. O porteiro disse que ficava depois do parquinho — informa Pilar, e uma nova onda de ansiedade me sacode inteira.

Calma, Chér. Calma. Basta caminhar. Um passo atrás do outro.

— Vamos, Chér! — Pilar deve ter notado minha dificuldade de caminhar porque está me rebocando escadarias acima.

— Amiga, acho que vou vomitar — confesso com o estômago mais gelado que todo o polo norte. — Vou embora.

— Quê?! — Pilar para e me encara de maneira confusa. Então enruga os lábios em uma careta. — Deixa de graça, Chér. Respira, amiga. É normal se sentir nervosa.

— E se o Zack não quiser ficar comigo?

— De novo com isso? — Pilar enfia um dedo no meio da minha testa e suspira como se estivesse cansada. — Você precisa ser mais confiante, viu? Deixa esses pensamentos irem para o ralo. E outra coisa, se ele não quiser ficar com você, azar o dele, porque você é uma garota incrível. Quem perde é ele.

— Mas eu quero tanto que ele fique...

Vou sofrer horrores se Zack não quiser. Só imaginar isso já me dá vontade de chorar.

— Eu sei, amiga — Pilar fala com uma paciência maternal. — Você está gamada nesse garoto faz tanto tempo. E você se esforçou para ter uma oportunidade, e eu acho que ele tá a fim de você, pelos olhares que ele te deu esses dias...

— Será?

— Amiga, eu vou te sacudir, sério — Pilar empurra meu ombro. — Acredita mais em você, poxa. Vai com insegurança, mas vai. Não vai saber o que pode ser até tentar.

Aceno dando uma respirada tão fundo que me faz chiar feito uma panela de pressão.

— Certo. Bora — falo com o ânimo mais ou menos renovado.

Pilar encaixa seu braço no meu e me dá seu sorriso meigo de covinhas.

— Vamos nos divertir hoje, amiga.

Forço um sorriso tentando jogar meus pensamentos para o ralo.

Hoje é o meu dia.

Hoje o Zack vai ser meu.

Ai, ai!

Que seja assim, que seja.

— 16 —
Pela primeira vez

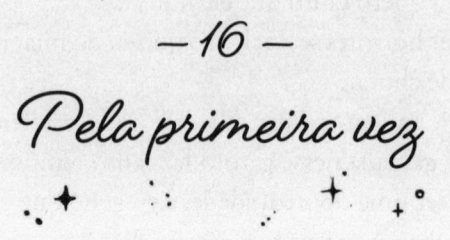

O salão de festas está lotado. "My Universe", parceria do Coldplay e do BTS, toca tão alto que abafa meus pensamentos. Está escuro, cheio de fumaça e diversas cores em neon cortam o espaço frio. Um flash verde acerta meu rosto em cheio. Pisco tentando enxergar em meio às pessoas e toda a névoa adocicada. Quase não dá para entrar no salão. Se não tivesse de mãos dadas com Pilar, teria dado meia volta e saído correndo.

Pilar nos faz entrar empurrando gente aqui e ali, pedindo licença para atravessarmos o salão. Tento encontrar Zack, mas não o vejo. Não achei que haveria tantas pessoas assim. Zack é mais popular do que eu imaginava. Pilar nos para próximo ao balcão de bebidas. Ela encontra Vicente e solta minha mão para ir abraçá-lo. Escuto Vicente pedir desculpas meio gritando por não ter avisado que já havia chegado. Pilar grita de volta que "tudo bem" e os dois se beijam. Eu me afasto um pouco deles e pego o primeiro refrigerante que um garçom oferece. É soda. Odeio soda. *Argh*.

Vicente me cumprimenta, dou um meio sorriso em resposta. Estico o pescoço e tento buscar Zack no meio da galera. Não vejo o loiro em canto algum.

— Chér — Pilar se inclina perto do meu ouvido. — Vicente disse que eles têm uma mesa lá fora.

Assim, sigo o casal, que corta caminho pelo pessoal na pista de dança. Saímos por uma porta de vidro e logo sinto o ar mais quente da noite. Há várias mesas espalhadas aqui fora, incluindo mesas de pingue-pongue e sinuca. Alguns garotos estão jogando, enquanto outros assistem. Num outro balcão, estão servindo hambúrgueres em miniatura, pedaços de pizza e churrasquinho. O cheiro de fritura e assado me atinge e fico com vontade de comer. Nem percebi o quanto estou com fome.

Logo nos sentamos na mesa em que estão as namoradas de alguns dos jogadores do time de futebol do colégio. Pilar reconhece algumas delas e se inclina para trocarem beijos no rosto. Eu apenas moldo um sorrisinho envergonhado. Minha amiga pergunta às garotas se podemos nos sentar com elas.

— É claro! — uma delas responde.

— Isso é presente para o Zack? — outra pergunta apontando a sacola na minha mão. Aceno que sim. — Tá vendo aquele cilindro ali? — Giro o pescoço para encontrar um cilindro preto um pouco atrás da nossa mesa e ouço a menina dizer: — Os presentes estão ficando lá. Só ir colocar.

Queria entregar o presente na mão do Zack, mas também não quero parecer esquisita segurando a sacola depois de a garota ter dito onde ficam os presentes. Então deixo o meu no cilindro.

— Oi, Chér.

Alguém sopra o meu nome e me viro para encontrar Diego bem atrás de mim.

— Oi.

Ele vem me dar um beijo rápido na bochecha. O cheiro forte de seu perfume faz meu nariz coçar. De forma inevitável me vejo espirrando.

— Ai, desculpa — peço mortificada esfregando a ponta do nariz.

— Pegou um resfriado?

Não, é o seu perfume.

— Não. Tudo bem? — corto o assunto e emendo: — Viu o Zack? Queria dar os parabéns.

Diego toma um gole diretamente da garrafinha de vodka que segura na mão esquerda.

— Zack foi em casa ver uma parada — Diego explica e toma mais um gole de sua bebida.

— Ah, tá.

— Você já comeu? Bebeu alguma coisa?

Faço que não, e Diego me guia até o balcão.

— Tem preferência por algo? — ele pergunta debruçado no balcão do meu lado.

— Não, como de tudo. — Dou um sorriso. Comer é minha especialidade.

— Meu tipo de garota — é o que Diego fala, tocando meu ombro com o seu. Ele abre um sorriso repleto de travessura na minha direção.

Sem graça e com as orelhas quentes, pego o primeiro hambúrguer que aparece na bandeja. Abocanho para me ocupar.

Isso foi uma cantada? Ai, claro que não.

Que bobeira. Mastigo enquanto penso. São só essas brincadeiras de garotos.

— Está bom? — Diego quer saber me obrigando a encará-lo. — Sujou um pouco de molho — diz ele, e eu o acompanho pegar um guardanapo e vir limpar parte do meu queixo. — Prontinho.

Agradeço paralisada e com a boca meio cheia. Fico sem jeito. Foi algo bobo, mas me deixou constrangida. Inquieta, decido voltar para a mesa com as meninas, não sem antes pegar outro hambúrguer e um copo de Coca-Cola.

— Pilar está me esperando — falo me afastando de Diego.

— A gente se esbarra — ele responde com uma expressão que só posso definir como sedutora.

Trato logo de voltar bem rápido para a mesa e me sentar ao lado de Pilar.

* * *

Meia hora depois ainda estou na mesa com uma garota que não faz questão de puxar assunto, só fica no celular. Pilar foi com Vicente para dentro do salão. Zack ainda não apareceu, para minha absoluta tristeza. Estou deslocada, frustrada e impaciente. E, para piorar, Diego está jogando sinuca sem tirar os olhos de mim. O garoto não faz a mínima questão de disfarçar. Minha barriga está embrulhada, como se eu tivesse comido algo estragado. Meu pescoço dói, porque inclino o queixo apenas para um lado a fim de evitar Diego. Quero sair daqui. Se o Diego pedir para ficar comigo vou ter um troço.

Estalo o pescoço, não suporto mais ficar nessa posição desconfortável.

Ai, não.

Diego enche meu campo de visão. Ele está caminhando na direção da minha mesa.

Num salto me levanto, pego minha bolsa e, sem olhar para trás, entro no salão de festas.

Sou cercada de fumaça adocicada, flash de luzes e um funk horrível que explode dos alto-falantes. A maioria da galera está dançando. Tento encontrar Pilar, mas é impossível porque está muito escuro. Como não gosto de dançar e não curto ambientes escuros e barulhentos, prefiro costurar o salão sem nem saber direito para onde estou indo. Saio por uma porta de vidro que não foi a porta pela qual entrei ao chegar. Tem um casal se pegando numa das paredes. Aperto as sobrancelhas, finjo não olhar e sigo reto com o barulho de meus saltos ecoando nos ouvidos. Mais à frente, deparo com outro casal se pegando. Caramba!

Viro à direita e na próxima, e na próxima até me ver na área interna do prédio em que há elevadores. Interrompo meus passos ao notar que estou meio perdida. Meio não, completamente. Quantos corredores eu virei mesmo? Sou uma tonta. Uma tonta que está sentindo frio. Que ótimo!

Bufo esfregando os braços numa inútil tentativa de me aquecer, dou a volta na coluna dos elevadores e avisto as portas de entrada do edifício. Tudo nesse lugar é enorme e luxuoso. Empurro o vidro e paro bem no limiar da porta, boquiaberta. Ao que parece acabo de encontrar o Zack.

No corredor, o loiro está de costas para mim, com o celular pressionado contra a orelha.

— Não, pai, entendo... aham... de boa... a gente vê depois... — Um suspiro profundo. — Valeu.

A ligação termina, e ele se vira ficando bem na minha frente. Não consigo nem piscar.

O lindo rosto de Zack não esconde sua surpresa ao me ver parada ali.

— Ei — Zack diz com casualidade, dando uma boa olhada em mim, o que faz meu coração disparar, e guarda o celular no bolso do jeans.

O garoto já é lindo e fica estonteante quando usa blusa polo azul da cor de seus olhos.

Preciso dizer alguma coisa, né? E não ficar paralisada e piscando feito uma boba.

— Oi! Parabéns! — Isso saiu muito exasperado.

Quero me estapear!

— Valeu — Zack franze a testa e abre um pequeno sorriso em seguida.

— Me perdi. — É minha vez de franzir a testa. — Ahn... — sibilo apontando o polegar para trás de mim. — Da sua festa, eu... fui pegar um ar — *Um ar bem longe do seu amigo* — e me perdi.

— Estou vendo — Zack sopra um riso como se achasse graça da minha burrice. — Quer que eu te leve de volta?

Lógico! Por favor, seu lindo.

— S-sim! — *Calma, Chér se controla.*

— Bora por aqui que é melhor.

Zack inclina a cabeça para o outro lado do corredor, o lugar oposto de onde vim. Só então percebo que ainda seguro a droga da maçaneta dessa porta gigante. Solto de imediato e obrigo meus pés a caminharem ao lado do Zack.

Meu coração está num frenesi louco, a boca seca e o estômago indo em direção ao centro da terra.

— Que bom que você veio — Zack diz.

Ainn! Quero me abraçar só porque ele disse isso.

— Te falei que viria — falo mordendo o lábio. — Obrigada por me convidar.

— Sem chance de eu deixar de convidar a garota mais linda da classe.

Quê?! Eu acabei de ouvir isso mesmo?

Ele me acha bonita?

Pera aí. Ele me acha a garota mais bonita da classe?

Ai, eu vou passar mal. Não estou acreditando nisso.

Preciso dizer alguma coisa. O que eu falo? Obrigada?

— Ahn... — gaguejo e rio de nervoso.

Que som estranho. *Para de fazer isso, que mico.*

Sugo o ar pela boca tentando controlar as batidas incontroláveis do meu pobre coração apaixonado.

— Eu... *Ai!* — grito, de repente, ao me desequilibrar e torcer o pé.

Quase caio em cima de Zack. Sorte o garoto ter sido rápido o suficiente para me segurar ou eu teria despencado no chão. Meu rosto está quente feito fogueira de festa junina.

— Desculpa — peço sufocada de vergonha.

— Machucou? — Zack pergunta ainda me segurando.

Minha vergonha está misturada à emoção de estar nos braços dele.

— Dá pra andar? — ele parece preocupado, e fica tão fofo assim.

— S-sim... — Forço o pé no chão. Dói um pouquinho, mas vai passar.

— Não quer sentar, Chér?

— Pode ser — digo, só pela chance de me sentar com ele.

Zack me segura pela cintura para me ajudar. O frio que eu sinto se intensifica. Tenho uma bola de gelo no lugar do estômago. A sensação é de que posso flutuar ou desmaiar a qualquer instante.

Nós nos sentamos os dois, lado a lado, tipo ombro com ombro, num dos bancos de madeira do corredor. Nem consigo pensar direito com Zack tão próximo assim. Coloco meus olhos no pé que torci e devagar o giro para os lados. Dói, mas nada insuportável. então me inclino para fazer uma breve massagem e testo o pé, firmando-o no chão. Tudo certo.

— Obrigada, Zack. — Viro o queixo em sua direção e sorrio da forma mais doce que consigo.

— Imagina. Tá doendo? Se quiser tenho pomada lá em casa, posso pegar para você.

Lindo, fofo, atencioso. *Ainn!* Não sei lidar.
— Não quer gelo?
Acabo rindo.
— Não — continuo rindo de nervoso. — Obrigada, mas estou bem, sério — garanto.
— Se você diz... — Ele sopra uma risada baixinha e dedilha os fios loiros.
Meu celular vibra três vezes seguidas. Tiro o aparelho de dentro da bolsa. São mensagens de Pilar querendo saber onde estou. Fico de pé, mesmo mancando, para digitar sem que Zack veja. Aviso Pilar que estou com Zack. No mesmo instante ela me enche de mensagens enlouquecidas. Bom, eu também me sinto assim. Acabo rindo de empolgação. Escrevo rápido *"depois te conto"* e guardo o celular na bolsa. Tento disfarçar minha felicidade.
— Chér.
Zack me chama e baixo os olhos para ele, que ainda está sentado.
— Queria falar uma coisa contigo.
Engulo em seco. O que será que ele quer?
Será que vai pedir pra ficar comigo?
Respira Chér, só... respira.
Zack fica em pé, e posso sentir o cheiro gostoso do perfume dele nos envolver.
— Na verdade — Zack pausa e coça a nuca me deixando uma pilha de ansiedade. — Estou num impasse.
Fico sem entender. Troco o peso nos pés e agarro com força a correntinha da minha bolsa.
— Como assim?
— Diego quer ficar com você.
A fala de Zack explode bem no meio da minha cara esperançosa. Eu me sinto murchar sobre os próprios pés. O garoto de

que eu gosto quer desenrolar o amigo dele para mim? Isso é um pesadelo! Todo esse momento único na minha vida para isso?

Não, não, não!

— Acontece que eu também quero ficar com você — Zack solta, e sua frase inesperada chacoalha meu pobre coração.

É o quê? Quê? *Quê?!*

Minha boca despenca juntinho do meu estômago, batendo no pé outra vez.

— Está vendo? — Zack dá mais um passo para perto de mim, e meu coração se torna um trem desgovernado quando ele toca uma mecha do meu cabelo cacheado. — Um impasse, linda.

Estou sem palavras. Absolutamente.

— Então, quem vai ser? — Ele lança a pergunta com um olhar impassível.

— Você — disparo sem pensar duas vezes. Sinto essa coragem louca para afirmar: — Quero ficar com você, Zack. Só você.

O sorriso que Zack me lança é apaixonante. Não contenho um suspiro. Quando Zack se aproxima, ficando a poucos centímetros de mim, me sinto estremecer por dentro. Meu coração não está preparado para a intensidade com que Zack me encara. Mal consigo sustentar seu olhar. Sonho com esse momento há tanto tempo, mas vivenciar isso aqui e agora está sendo surreal de tão, tão bom.

Zack se atreve a pegar nos meus dedos frios e eu prendo a respiração no exato segundo em que ele se inclina para o meu rosto.

— Sabia que você é muito linda? — Sua voz morna toca minha bochecha me deixando mais agitada. — Desejei ficar com você a semana inteira.

Tudo se enregela e queima ao mesmo tempo. Desconfio da minha capacidade de falar e de me manter de pé.

O garoto de que eu gosto — o que eu mais quero neste mundo! — me puxa para mais perto de si. Meu olhar se prende na sua boca tão perto da minha. Zack morde o lábio inferior e eu tremo mais uma vez.

— Você está com frio?
— Ahn?

Franzo a testa. Zack desliza um dedo do meu ombro até meu pulso.

— Está arrepiada — diz. — Está com frio? Se quiser posso pegar um casaco meu pra você.

— N-não — forço a palavra, mas gaguejo. Puxo uma respiração. — Não precisa buscar o casaco.

— Acho que posso te aquecer um pouco, não?

Ai, caramba!

Zack desliza o dedo na extensão do meu braço, ainda me segurando pelos dedos com a outra mão, e nos guia para a coluna mais próxima. Ficamos escondidos pela larga pilastra, minhas costas tocam a parede gelada, Zack se abaixa trilhando um caminho reto para os meus lábios.

E finalmente eu serei beijada pela primeira vez.

— 17 —
Um beijo

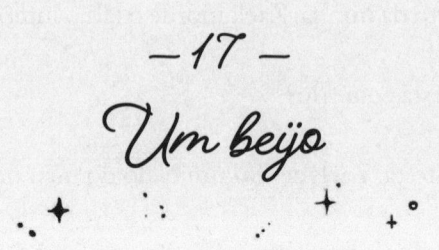

A primeira coisa que sinto é a textura macia dos lábios de Zack. No início eu não abro a boca, tamanho é o nervosismo combinado com a ansiedade. Então, assim que os lábios de Zack se movem sobre os meus com certa persistência, ele entreabre meus lábios. Não sei bem o que fazer, só espero não fazer algo errado.

Pisco, de olhos bem abertos, achando isso muito... estranho. Úmido, morno, molhado demais. Zack mexe a cabeça de um lado para o outro com a boca dentro da minha. O rosto dele faz pressão no meu, e seus lábios se movem sem parar. Seu beijo é apressado e me desconcentra. Não consigo acompanhar seus movimentos, fico perdida.

Ainda assim, decido tentar.

Com timidez imito seus movimentos. O beijo acontece. Uau! E por mais estranho que seja, eu estou, enfim, beijando. E é... bom... quer dizer, estranho, mas bom, eu acho.

Fecho os olhos, levando as mãos até os braços de Zack para me apoiar e me deixo levar pelo momento pelo qual tanto esperei. Beijo Zack com hesitação, tentando acompanhar seus movimentos, que vão se tornando mais apressados. Sua boca é incansável na busca pela minha. Batemos os dentes, mas ele parece não se importar. Começo a ficar sem fôlego, Zack também. Ele desce sua boca para meu queixo, deslizando-a para o pescoço e me dando um beijo muito forte. Zack volta seus lábios aos meus, fazendo que eu quase me engasgue com sua afobação.

Em instantes suas mãos viajam para minha cintura e me apertam com firmeza, pressionando-me mais contra a parede. Suas palmas transmitem quentura através do tecido do meu vestido. Zack sobe e desce suas mãos pelas laterais do meu corpo. Abro os olhos. Perco a concentração no beijo, pois minha mente está embaralhada com a sensação incômoda de suas mãos subindo e descendo pelo meu corpo. Sua boca não me dá trégua e já não consigo acompanhá-lo.

Meu coração dispara, e não é de um jeito bom quando Zack desliza seus dedos ávidos da minha barriga para a lateral do meu seio. Uma sensação ruim se acumula no meu estômago. Travo a respiração com medo de ele tocar num lugar indevido. No entanto, não me atento para sua outra mão, que levanta meu vestido, se acomodando em minha coxa desnuda. Tento afastar sua boca da minha, mas Zack não entende que quero parar o beijo. Viro o rosto, e seus lábios se grudam com força no meu pescoço.

— Zack, para.

Suas mãos não param. Seus toques e seus beijos me deixam em alerta. Arranco minha boca da sua, desesperada, e o garoto desce seus lábios para meu pescoço de novo. Estou zonza, o sangue quente de puro pavor. Fico paralisada por alguns segundos que parecem horas infinitas. Sem ação. Sem saber o que fazer. Zack não para, e só quero que ele pare. Eu me sinto fraca e mole.

Uma voz ressoa no fundo da minha cabeça dizendo para empurrá-lo.

Quando seus lábios procuram os meus outra vez, não aguento mais sua insistência. Empurro seus ombros para o mais distante de mim. Meu corpo inteiro está tremendo. Tremendo de verdade. Zack parece não se mover. Peço que pare, mas ele não me ouve e continua me beijando de maneira abrupta.

— Para! — grito, ou acho que grito. Meu desespero é tanto que minha voz sai estranhamente rouca.

— Quê? Ainda não — Zack murmura com tom grave parecendo embriagado.

Tento me desvencilhar de seus braços, mas ele me pressiona com força contra a pilastra.

— Para — choramingo, mas ele continua beijando minha boca, sem qualquer indício de querer parar. Seus lábios molhados roçam no meu queixo e, em seguida, no meu pescoço.

Minha cabeça zumbe. Minha pulsação fica elétrica, e meu peito afunda cada vez mais dentro de mim. Estou em desespero. Quero sair daqui. Quero fugir.

— Para, Zack! — dou um berro, e desta vez o afasto com as duas mãos. Zack cambaleia. — Não chega perto de mim! — Estou gritando, não sussurrando. É alto e estridente. — Você perdeu a noção? O que pensa que está fazendo, Zack?

— Te beijando — fala como se respondesse o óbvio.

— Não, não, não — nego balançando a cabeça. — Você estava... estava...

Tenho dificuldade para respirar, o ar se torna pesado. A garganta arranha. Os olhos ficam rasos. O coração palpitando. Sinto o rosto quente. Estou tremendo, e muito.

— Você me deixou ansioso por mais — Zack diz, raspando o polegar no lábio. Ele abre um sorriso de canto. É pequeno e cheio de malícia. Aquilo me enoja, mas não consigo dizer nada. Isso abre espaço para ele continuar: — Agora estou muito mais a fim de ficar com você. Depois de provar você... — Zack ri de maneira atrevida. Fico mais enojada. — Você é tão gata — ele diz, percorrendo meu corpo com seus olhos injetados de malícia.

Um mal-estar me rasga por dentro.

Zack estende uma mão como que para tocar minha cintura.

— N-não m-me toque! — grito com o queixo tremendo. — N-unca mais chegue perto de mim.

Dou um tapa na mão dele, arranco minha bolsa do banco e corro com rios de lágrimas escorrendo pelo rosto. Elas embaçam minha visão, mas não paro nem por um segundo. Tropeço por causa das sandálias. Olho para trás com medo de Zack estar me seguindo. Não o vejo. As lágrimas não param de descer, e sinto o pânico se instalar quando percebo que não sei onde estou. Ainda posso ouvir a batida incômoda da música de longe. Penso em Pilar, mas não quero voltar para a festa. Não quero ver o Zack nem falar com ninguém.

Como Zack pôde agir daquela maneira comigo?

A sensação de seu toque traz à tona o medo e a repulsa, tudo junto.

Fungo, tentando controlar um choro que parece não ter fim.

Preciso ir para casa. Quero ir embora daqui.

Logo me vejo cercada de árvores e fontes, sem saber direito para onde seguir porque está escuro. Essa droga de condomínio é tão grande que não me lembro mais onde fica a entrada. Outra onda de soluços me ataca profundamente. Meu queixo treme. Tapo a boca com a mão para impedir que alguém me escute. Ando um pouco mais, aos prantos. Passo por um chafariz. É horrível estar com frio, sozinha e perdida.

Jesus, por favor, me ajuda. Só quero ir para casa.

— Chér?

Ouço alguém chamar meu nome.

Arfo, surpresa de ver a silhueta de Luciano surgir do outro lado do chafariz. Sinto um derramar de alívio ao encontrar alguém conhecido. Meu estado é péssimo. O nariz está escorrendo. Odeio o fato de não conseguir me controlar.

— O que houve? — Preocupação pinga de sua voz quando o garoto se aproxima. — Você se machucou, Chér? — Luciano toca meu ombro e me inspeciona com o olhar como se procurasse alguma ferida.

Há uma. Enorme e profunda dentro de mim.

Não posso falar. Apenas contar o que aconteceu dói, dói demais.

— E-eu... — soluço. Puxo uma respiração funda para não tropeçar nas palavras. Tudo em vão. — Só q-quero ir embora.

— Chér, estou preocupado. O que aconteceu? Você está machucada?

Faço que sim, depois faço que não.

— Ei, calma — Luciano tenta me consolar vendo as lágrimas irrefreáveis.

Limpo o rosto apressada.

Calma, Chér, respira. Se controla.

— Me perdi aqui — é o que sussurro. O mais próximo da verdade. — Tropecei... — Fecho os olhos pela mentira porque nem está doendo mais. — Não estava achando a saída então fiquei assustada. Bateu pânico.

— Fica calma — aconselha ele com voz fraternal. — É horrível essa sensação. Sei bem. Eu estava indo embora, se quiser posso te levar até a saída do prédio. Meu Uber está perto. — Nem percebi o celular em sua mão até Luciano encarar seu aparelho. — Fiquei sem sinal, então tive que dar uma volta. Que bom que te encontrei.

Concordo com um leve aceno.

— Luciano, posso dividir o carro com você? Ainda não pedi o meu e quero muito ir para casa. Como a gente mora perto, eu...

— Claro, Chér — Luciano se prontifica antes de me deixar concluir.

Vou me acalmando à medida que caminho com Luciano para a entrada do condomínio. Luciano avisa que o carro está perto e que é mais seguro esperar dentro do prédio. Ficamos nas escadas porque dali podemos ver a rua melhor. Um vento gelado nos envolve. Estou tremendo violentamente e me abraço na tentativa inútil de me aquecer.

— Toma, Chér — Luciano começa a puxar o moletom pela cabeça.

— Não, Luciano. Não precisa.

Balanço a cabeça para os lados, mas o garoto não se importa. Ele tira o moletom e me entrega. Fico sem graça, mas também estou morrendo de frio. Aceito, envergonhada até os ossos.

— Obrigada. Na segunda eu devolvo, tá?

— Tranquilo.

Visto o casaco. É felpudo por dentro. A sensação é boa. Uso os bolsos para esquentar as mãos.

O motorista do Uber chega minutos depois. Assim que o carro começa a se mover, dou meu endereço para Luciano, que diz já ter colocado na rota. Agradeço. Mesmo sem querer, encontro meu celular na bolsa e envio uma mensagem para Pilar, avisando que estou indo embora. Ela fica on-line e faz inúmeras perguntas. Não tenho cabeça para contar o que aconteceu. Apenas digito que deu tudo errado com Zack e que não estou me sentindo bem, que prefiro ir para casa. Pilar me enche de mensagens que eu ignoro. Apago a tela e me recosto no banco.

Um suspiro deixa meus lábios. Me sinto exausta. Aperto os olhos e espero a corrida terminar.

— 18 —
Coração partido

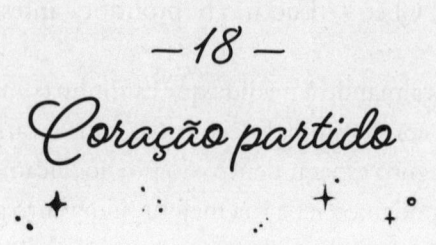

Dormi. Estou tão esgotada que acabei cochilando dentro do carro e despertei com a cabeça torta em cima do ombro de Luciano. Se já não fosse o bastante para me deixar desconcertada, o pior foi ter sentido a baba escorrendo pelo cantinho da boca em cima do garoto. Não sabia onde enfiar a cara quando o carro estacionou em frente ao meu prédio. Quis subir às pressas, mas Luciano saiu do carro para me acompanhar até a entrada do edifício. Morta de vergonha, agradeci sua ajuda. Atencioso, ele me perguntou se eu estava bem mesmo, dizendo ter ficado preocupado comigo. Apenas garanti de modo rápido que estava tudo bem, agradeci de novo e atravessei os portões sem olhar para trás.

 De frente para a porta de casa, tiro as chaves da bolsa que eu nem imaginava estar aqui até esse instante. Sinto um alívio por não ter cruzado com meus pais ao entrar. Minha cara de choro me denunciaria, seria difícil esconder minha dor de mamãe, principalmente. Por isso, retiro as sandálias e ando na ponta dos pés para o meu quarto. Decido tomar um banho e choro debaixo da água quente do chuveiro com as imagens horríveis da noite se repetindo na minha cabeça como um maldito filme ruim.

Esfrego os olhos, esfrego e esfrego como se pudesse apagar as lembranças dolorosas.

Por que Zack agiu daquela forma atrevida comigo? É possível que eu tenha deixado subentendido que queria que ele me tocasse daquela maneira? Mas eu não queria! Nunca quis.

Saio do banho com a cabeça mais pesada do que quando entrei. Coloco um pijama qualquer e escovo os dentes diversas vezes querendo apagar aqueles beijos. Meus cabelos úmidos me incomodam um pouco, sei que amanhã estarei com a juba armada por não finalizar, e não me importo com isso.

Amolecida pelo banho, vejo meu rosto inchado refletido no espelho. Fungo e encaro o vestido largado no chão frio. Pego e amasso o tecido, atiro no chão outra vez e o pisoteio. Em seguida, arremesso a peça no cesto de roupa suja sabendo que nunca mais voltarei a usá-la.

Se eu pudesse apagar esta noite...

Meu soluço enche o pequeno banheiro. As sensações que não consigo nem verbalizar em pensamentos se quebram como ondas de um maremoto sobre mim. Estou me afogando e não sei como fazer esse tsunami parar.

Fecho a porta do banheiro e encontro minha mãe sentada na beirada da minha cama. Trocamos olhares por meros segundos. Não digo nada, e nem preciso, já que estou transbordando pelos olhos. Tudo que mamãe precisa dizer é *"filhota?"* com sua voz suave e preocupada. Desmonto sem nem querer esconder. Não quero, preciso dela. Mamãe abre seus braços e eu me atiro neles sem hesitar.

— Mãe... — soluço. O choro compulsivo me estilhaça.

— Calma, Rochelle. Filha...

Mamãe me aperta entre seus braços. Ela acomoda minha cabeça na curva de seu pescoço enquanto as lágrimas rolam sem freios. Ela desafia o contorcionismo ao afagar minhas costas ao mesmo tempo que me abraça forte dedilhando meus cabelos úmidos.

— A mamãe está aqui, filha. Estou com você.

Seu consolo é tão bem-vindo que eu só quero me aconchegar nela. Por um tempo ficamos assim, eu em seu colo, chorando, e ela tentando me tranquilizar com sussurros. Aos poucos as ondas do choro passam e eu fico mais relaxada. Mamãe não cessa seu carinho.

— O que houve?

— Mãe... — hesito.

— Rochelle, você está aos prantos. Estou assustada. O que houve?

Quero contar para ela, mas não sei como fazer isso direito.

— Você se lembra da promessa que me fez quando era pequena? Disse que eu seria sua melhor amiga para sempre. Ainda sou, não sou?

Digo que sim, derramando novas lágrimas. Seco o nariz com as costas da mão.

— Beijei um menino hoje e foi horrível — eu revelo.

Tomo uma longa respiração e, enquanto narro, minha mãe ouve calada, mas solta pequenos silvos de respiração afiada por entre os dentes. Não deixo nenhum detalhe de fora. Busco não chorar conforme descrevo para minha mãe o que aconteceu na festa e por que estou tão triste. Ao falar sobre o atrevimento de Zack sinto o corpo de minha mãe enrijecer.

Envergonhada, me calo e escondo meu rosto na curva do pescoço dela.

— Filha, esse garoto... Deus me perdoe, mas eu já o detesto. Oh, Rochelle... — Mamãe me esmaga em seus braços a ponto de quase impossibilitar que eu respire.

— Está tudo bem, mãe. Agora está tudo bem — garanto a ela quando percebo sua voz trêmula. — Mãe, por favor, não chora — peço segurando o choro na garganta. — Mãe, eu estou melhor agora. Fisicamente bem. — *Estou?* — Só mesmo com o coração quebrado por...

— Filha — ela me corta com a voz chorosa. Eu me sinto péssima por fazê-la chorar. — Lamento tanto, tanto que você tenha passado por isso. Minha filha... — Ela alisa meu braço, depois toca meu rosto com cuidado.

Ver minha dor refletida em minha mãe, saber o quanto ela se preocupa comigo, o quanto se importa, dói.

Ela torna a me abraçar bem apertado. O silêncio confortável nos envolve. Em seguida, solto um pensamento insistente:

— Mãe, a senhora acha que eu permiti o ato invasivo dele de alguma forma? Que talvez eu tenha dado a entender, não sei...

— Não, Rochelle. Não se culpe por esse menino ser abusivo e malicioso. Você gostar dele e tê-lo beijado não dá a ele direito algum de se impor sobre você, de ultrapassar os limites e tocá-la sem permissão. Você entende? Não é culpa sua.

— Só queria esquecer tudo isso, mãe — confesso doída e cansada de chorar.

— Vem cá, meu amor. — Ela me puxa e deixa minha cabeça em seu colo.

Seu cafuné é tão agradável que me aninho e bocejo.

— Se eu disser que você vai esquecer essa experiência ruim, seria mentira. Foi algo horrível e marcou você. Está doendo, eu sei, e sinto sua dor bem aqui no meu coração. Só Deus sabe o quanto lamento você ter passado por algo assim — mamãe suspira ao dizer. — As experiências da vida, sejam boas ou ruins, nos marcam ainda que a gente não queira. As ruins são como feridas abertas que sangram e latejam até que se curem. Não importa o tempo que leve, elas se curam, mas as cicatrizes, essas permanecem. São um lembrete de como fomos feridas, um lembrete do que doeu, mas não dói mais. Um dia, minha filha, isso vai sarar.

Suas palavras me fazem fungar.

— Você está ferida e triste. Chore o quanto precisar chorar. Eu estou aqui com você.

— Obrigada, mãe. — Seco algumas lágrimas fujonas. Abraço os joelhos dela. — Fica aqui comigo?

— Claro, meu amor. — Ela beija minha testa. — Sempre estarei aqui com você. Vou orar para que o Senhor cuide do seu coração, filha. Ele é um Pai presente nas alegrias e tristezas, nosso amado consolador e restaurador.

— Ora agora então? — peço me aninhando ainda mais em seu colo quentinho.

Pedir para ela orar por mim ou comigo era algo que eu não fazia havia bastante tempo.

Assim que ela termina a oração, me sinto tão sonolenta que adormeço de uma vez.

— 19 —
Lembranças ruins

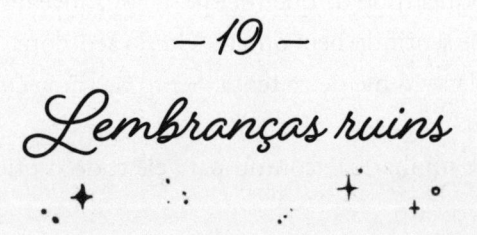

Não fosse o sol se infiltrando pelas bandas separadas da cortina, eu teria dormido mais. Mesmo dividindo a pequena cama de solteiro com minha mãe, tive um sono profundo, gostoso e sem pesadelos. Desperto preguiçosa, escutando o piar dos pássaros que moram na árvore que fica no meio do playground e que surge imponente à minha vista pela janela do quarto.

Estou sozinha e me enrolo nas cobertas com um sorriso preguiçoso. Logo, porém, o sorriso some quando as imagens da noite anterior pipocam na minha cabeça. São a certeza de que aquela droga de beijo não foi um pesadelo. O coração dolorido é a prova de que Zack me tratou mesmo daquela forma asquerosa, e que ele não era o garoto que eu achei que fosse. Como poderia imaginar que Zack seria tão desrespeitoso e atrevido? Fui tão burra, estúpida. Pensar no garoto, em nós, no beijo, nas mãos dele se forçando sobre o meu corpo... sacudo a cabeça para espantar os flashes de ontem.

Um toque na porta do meu quarto me obriga a não permitir que os pensamentos me consumam.

— Sou eu. — A voz do meu pai me alcança pedindo para entrar. Permito. — Bom dia — diz ele caminhando com uma bandeja improvisada até onde estou. — Trouxe café.

— Café na cama.

Papai dá uma piscadela convencida.

— Coloquei tudo de que você gosta. Sua mãe disse que você não estava se sentindo bem ontem. Como acordou?

Sua explicação me deixa tensa. Sento na cama com as costas na cabeceira.

Será que minha mãe contou para ele tudo o que aconteceu ontem?

— Pai, eu...

Aperto a coberta entre os dedos e fujo dos seus olhos interessados.

— Não sei o que houve, já que vocês duas têm segredos — diz ele com ar sentido, sem saber o quanto me deixa aliviada. — Mas se quiser conversar com o pai... — Ele encolhe os ombros e deixa a frase morrer. — O pai tá aqui, viu?

Papai sabe ser fofo quando quer.

— Quis te fazer um agrado para ajudar a... — gesticula parecendo sem jeito. —Melhorar.

Ele deposita a bandeja no meu colo e me presenteia com um beijo no topo da cabeça.

Encontro um copo de leite achocolatado, torradas, geleia, o biscoito de champanhe que eu adoro, iogurte e fatias de pão quente. Tem até mel e mirtilo na panqueca!

— Que isso, hein, pai — brinco. — Se superou.

— Fui lá no hortifruti comprar mel e mirtilo que você vive pedindo para pôr na panqueca.

— Obrigada, pai. — Aprecio o gesto já colocando a frutinha na boca.

Meu coração podia estar pra baixo, mas minha fome vive em alta.

— Liguei para sua avó e avisei que não vamos para o almoço de domingo — ele conta enquanto mastigo a panqueca.

Nem tinha me lembrado de que era domingo e que almoçaríamos na vó Amália, como costumamos fazer dois domingos por mês. Ainda bem que ele cancelou. Não tenho bateria social para lidar com um almoço barulhento de família. Quero ficar sozinha, de preferência na cama, comendo e dormindo.

Meu pai ficou comigo até eu terminar o café da manhã, ou parte dele. Falou de amenidades que me distraíram um pouco, avisou que iria à igreja e que mamãe — que estava no banho — ficaria comigo em casa já que eu não me sentia bem.

Foi o som do meu celular tocando que obrigou meu pai a ir procurá-lo pelo quarto bagunçado. Ele o encontrou na bancada da pia do banheiro e avisou que se tratava de uma ligação de Pilar. Era uma chamada de vídeo. Não atendi. Estou sem ânimo para falar por vídeo. Na verdade, para falar de qualquer forma. Assim que meu pai saiu com a bandeja e o restante da comida intocada, entrei no grupo do zap porque vi inúmeras notificações de minhas amigas. Nem consegui ler tudo, mas a maioria eram perguntas como *"o que houve?"*, *"amiga, tá tudo bem?"*, *"responde"*, *"atende"*, *"tô preocupada"* e várias ligações de Pilar e chamadas em grupo.

Digito uma mensagem para tranquilizá-las:

"Oi, migas. Desculpa não ter respondido. Deixei o celular de lado e vou ficar mais um pouco off, tá? Ontem com o Zack foi... horrível. Ele é um babaca. Só quero esquecer. Quando me sentir melhor eu conto pra vocês, tá?"

Claro que vou contar para elas o que aconteceu, são minhas melhores amigas e sempre dividimos tudo uma com as outras. Só que não é o momento. Depois eu explico tudo.

* * *

— Amanhã você vai à aula, filha.

— Só mais um dia, mãe, por favor...

— Não pode faltar mais, Rochelle. Amanhã você vai sim, mocinha. Sem falta.

Enfio um punhado de batatas fritas na boca para não resmungar.

Minha mãe me deixou faltar a escola por três dias. Por mim eu ficaria o restante da semana, o restante do ano sem ter de ir para o colégio e encarar Zack. Pensei na possibilidade de trocar de escola, mas seria pior começar o ensino médio em outro lugar, ainda mais sem minhas amigas. Cogitei a ideia de pedir para trocar de classe, embora eu já tivesse tentado isso duas vezes no início do ano. De todo modo, eu teria de explicar o motivo de minha necessidade de troca no momento, o que seria péssimo. Não quero que mais ninguém saiba do que rolou com Zack. É humilhante demais.

Ainda que eu evite ficar relembrando o episódio de sábado à noite, quando menos espero as cenas se desenrolam por minha mente sem que eu consiga impedir. Sinto uma mistura de tristeza com vergonha, culpa e raiva. Durante esses três dias em casa, tentei me ocupar assistindo séries, vendo bobeiras na internet, comendo porcarias e dormindo, claro. Fiquei escondida no quarto. Hoje cedo minha mãe me obrigou a ir com ela ao mercado de manhã, já que tirou o dia de folga. Nas palavras dela eu precisava respirar outros ares. Agora está me obrigando a retornar ao colégio, quando tudo o que mais quero é ficar em casa e nunca mais ver Zack.

— Você lava a louça?

— Tenho escolha? — pergunto quando mamãe termina de comer.

— Você pode limpar a casa... — ela quica os ombros.

— Eu fico com a louça — mostro um sorriso sem dentes.

— Vou aproveitar a folga para limpar. É sempre assim — ela suspira, retirando seu prato da mesa. — Queria que você ao menos limpasse a bagunça do chão do seu quarto e do banheiro para eu ter o caminho livre na hora de varrer e passar pano.

Aceno em resposta mastigando mais batatas.

— Filha... — mamãe fala com suavidade ao retornar da cozinha com o pano de prato no ombro. Com um olhar cuidadoso, continua: — Depois que eu terminar de limpar a casa, gostaria de conversar com você.

— O que eu fiz de errado? — suspendo uma sobrancelha desconfiada.

— Por que você sempre pergunta isso quando falamos em conversar?

— Porque você e meu pai sempre falam isso em tom sério, o que quer dizer que vou receber um sermão e talvez um castigo.

Mamãe abre a boca parecendo ofendida.

— Isso não é verdade, Rochelle.

— Até me chamou de Rochelle. Tá vendo? — Aponto meu indicador para ela. — Então vai ser sermão, né? Tô lascada...

— A questão, filhota — ela tenta amenizar o tom da conversa —, é que você não gosta mais de conversar com a gente e só escuta quando é um sermão. — Mamãe faz aspas com os dedos. — Gostaria de conversar com você sobre tantas coisas, mas você não tem mais tempo para sua mãe.

— Carente... — implico, retirando meu prato vazio.

— Sou carente mesmo porque eu amo estar com minha filha e dói ver que minha companhia não é mais solicitada, que ela não me conta mais as coisas de sua vida, não pede meus conselhos, e nem mesmo passa um tempinho comigo.

Eu a escuto fungar e fito seus olhos um pouco úmidos.

— Mãe... — minha voz perde o humor ao notar que ela parece triste de verdade.

— Você vai poder conversar comigo mais tarde?

— Claro, mãe.

Largo o prato e ando até ela para deixar um beijinho em seu rosto.

Meu coração está meio apertado. No fundo, ela tem razão. Mamãe e eu sempre fomos muito próximas. Eu a amo, é claro, e gosto de estar com ela. Porém nem consigo me lembrar da última vez que passamos um tempo juntas, e também não consigo explicar por quê. Espero poder mudar isso.

— 20 —
Alguém que me ama

Mais tarde, mamãe entra no meu quarto de short e blusa de algodão penteando os cabelos úmidos para trás. Seu perfume de baunilha invade o ar, e eu aprecio o aroma doce. Também acabei de sair do banho enrolada na toalha, fiquei exausta e fedida depois de ter ajudado, muito a contragosto, mamãe a limpar a cozinha e os banheiros.

— Coloquei o café da tarde na mesinha da sala. Podemos conversar lá?

Aceno em resposta enxugando os cabelos na toalha.

— Só vou pentear o cabelo e te encontro.

— Comprei aquele bolo de cenoura que você adora — escuto minha mãe dizer enquanto sai do meu quarto.

Finalizo os cachos, depois de dias sem me importar, mas já que vou para a escola amanhã preciso estar no mínimo apresentável. Coloco um short jeans e uma blusa preta surrada.

— O que mais você comprou? — quero saber pisando na sala e tendo um vislumbre da mesinha de centro abarrotada de lanches. Quando afundo no sofá observo com mais atenção, já salivando e sentindo o estômago dar sinal de vida. Mamãe caprichou!

— Se a senhora vai fazer um banquete toda vez que quiser conversar, mãe, pode ser todo dia, hein — brinco com um sorriso de orelha a orelha. — Quanta coisa gostosa!

— Queria fazer uma espécie de piquenique para nós duas. Pensei em irmos para a varanda, mas está ventando e fica desconfortável. Aqui é mais aconchegante — ela se explica, sentando-se ao meu lado no sofá.

Minha mãe agradece a Deus por esse momento de refeição e entorna café quentinho em sua caneca de porcelana listrada. Escolho suco de uva em vez de leite e corto uma fatia do bolo de cenoura repleto de cobertura de chocolate. Do jeitinho que eu gosto. Gemo de satisfação, cruzando as pernas no sofá, e me recosto nas almofadas. Assim que lambo os resquícios de chocolate nos dedos, pesco um pão francês do cestinho e o corto para rechear com queijo e presunto. Que delícia de café!

— Filha — mamãe se ajeita de lado e pousa sua caneca na mesinha. Ergo o queixo para fitar suas esmeraldas, que me observam com cautela. — Eu queria saber melhor como você tem se sentido desde sábado à noite.

Desde o episódio de sábado, em momento algum ela me forçou a falar sobre o ocorrido, embora tenha se preocupado em verificar meu estado o tempo todo.

— Sei que você tem dito que está melhorando, mas gostaria de conversar melhor, entender o que está sentindo e falar sobre algumas coisas importantes.

— Tudo o que eu queria era poder voltar no tempo e não ter... — Mordisco o lábio inferior, um pouco envergonhada. Ainda é estranho falar sobre isso com minha mãe, sobre ter beijado alguém. — Se eu pudesse esquecer tudo...

— Gostaria que você não tivesse passado pelo que passou — declara ela com o semblante abatido. — Ainda é recente e vai doer por um tempo. Queria que você pudesse apagar aquela experiência, mas sei que isso não é possível. Com o tempo vai doer menos, até que essa ferida no seu coração sare.

— Meu coração fica latejando... — confesso e pestanejo para afastar as lágrimas que estão se formando. — Sinto raiva do Zack, tanta raiva, que nem parece que fui apaixonada por ele um dia. Sinto raiva de mim porque fui uma idiota, uma imbecil e quis ficar com ele, sonhando acordada com o momento em que a gente fosse namorar, e fui eu que planejei tudo... — O nó na garganta fica difícil de suportar. Solto o ar pela boca para não me acabar em lágrimas. — Zack é um babaca, e eu só percebi isso da pior forma, mas a culpa do que aconteceu é minha por ter...— Deixo a frase morrer e balanço a cabeça.

— Você não pode deixar que a culpa te esmague, filha. Não é justo com você mesma carregar esse peso. Você se apaixonou por um menino e errou, sim, ao se deixar ser guiada por essa paixão. Você não conhecia muito sobre ele além das aparências, e se colocou em uma situação inadequada. Alimentou uma paixão por muito tempo, e isso não foi bom para o seu coração, o que levou você a fazer algumas escolhas erradas. Sei que não podemos controlar muitas coisas na vida, mas podemos nos resguardar de algumas. Você deveria ter sido mais prudente.

— Eu me sinto tão burra! — exclamo com as lembranças de tudo o que fiz para ficar com Zack por causa da paixão estúpida que eu dizia sentir. Não sei nada sobre ele, além do que vejo na escola. Sim, eu me deixei levar por um rosto bonito e uma paixão fútil.

— Você não é burra, minha filha, não diga isso — mamãe me repreende com o olhar. — Você fez uma escolha e foi um erro, mas não se culpe pela falta de caráter desse garoto. Não se culpe por ele não ter te tratado com o respeito e a dignidade que merece.

Mamãe molha os lábios para prosseguir:

— Quando jovens, muitas vezes somos levados por nossas emoções e paixões. Eu errei tanto quando tinha sua idade. Fiz coisas de que me arrependo e com certeza apagaria uma porção de histórias da minha juventude. — Ela torce os lábios com desgosto. — Sei que parte de ser jovem é ser imaturo e inconsequente. Há tantas mudanças rápidas e confusas acontecendo. Entender a si mesmo e o mundo, se apaixonar, amar e querer ser amada, tudo isso faz parte, na verdade, do que é ser humano. Mas eu acredito que mesmo na adolescência você pode decidir colocar sua imaturidade, suas emoções e suas paixões debaixo do senhorio de Cristo.

Mamãe segura minha mão com carinho. Uma lágrima quente escorre por meu nariz.

— Você também pode colocar a raiva, a dor, as lembranças ruins, os erros e a vergonha debaixo do senhorio de Cristo. Você pode e deve orar para que nosso Senhor cuide do seu coração. Conte para Deus o que tem se passado no seu coração, minha filha, e se permita escutar as palavras que vêm do coração de Deus.

A ideia de falar com Deus e ouvi-lo me emudece à medida que percebo que faz muito, muito tempo que não oro nem leio a Bíblia.

Uma vez que permaneço quieta, mamãe toma meu silêncio como encorajamento para dizer:

— Quando o nosso mundo desmorona e o coração fica em frangalhos, é o Senhor que nos sustenta com suas mãos fortes e nos ampara em seus braços de amor. Permita que Deus cerque você com seu amor leal, sua graça e seu perdão, minha filha. Permita-se correr para o lugar mais seguro que existe, que são os braços do Pai. Nele sua integridade é restaurada, sua alma é satisfeita e seu coração encontra alegria.

Meu coração está do tamanho de uma azeitona. O bolo em minha garganta se intensifica, e minha visão já está nublada pelas lágrimas.

— Você é filha do Rei altíssimo, a preciosa filhinha do Criador do universo. É a princesa do Senhor. E ele ama você, e tudo em você. O que sente, o que pensa, o que faz, tudo é importante para ele.

Ouvir que sou preciosa para Deus me faz chorar. Choro tanto que minha mãe me ampara em seus braços e repousa meu rosto na curvatura de seu ombro. Seu toque nas minhas costas é reconfortante, e sinto meu choro liberar a enxurrada de emoções que eu duramente tentava reprimir.

— Se você se esqueceu de quem é e a quem você pertence, você precisa se lembrar. Todos os dias da sua vida, meu amor. Nada do que faça ou deixe de fazer, e nada do que fizeram com você, vai mudar quem você é. Uma filha preciosa de Deus. Quando os fracassos, as decepções, dores, culpa e vergonha insistirem em dominar seu coração, lembre-se de quem você realmente é em Cristo. Amada, perdoada, curada, redimida, forte, corajosa, livre, restaurada...

Minha mãe afaga minhas costas por longos minutos enquanto sussurra quem eu sou em Jesus. Meu choro abundante não é apenas pela dor da decepção com Zack, do coração despedaçado pelo que passei, mas também por perceber o quanto me sinto distante de Jesus. Faz tanto tempo que não converso com ele, e isso me entristece.

As palavras de consolo de minha mãe se transformam em uma oração sussurrada, e de olhos fechados aceito e concordo com cada pedido dela por mim. Meu peito, antes tão apertado, vai se expandindo e sinto uma onda de paz me invadir. Uma sensação de leveza me atinge quando a oração é finalizada. Paro de chorar e apenas fungo, arrastando as palmas das mãos pelas bochechas a fim de secar as lágrimas. Noto minha mãe limpar o próprio rosto e um sorriso sereno se abrir em seus lábios.

— O Senhor é tão maravilhoso, minha filha — ela diz emocionada. — Como é bom saber que ele nunca nos deixa, como bem prometeu. — Seu sorriso se amplia e ela desliza com carinho os polegares por minhas bochechas. — Nunca estamos sozinhas. Deus está sempre perto e nunca nos deixará.

— Obrigada por orar por mim e por falar essas coisas, mãe — peço baixinho entre uma fungada e outra. Pego um guardanapo para assoar o nariz.

— Oro por você desde muito antes que você fosse gerada no meu ventre. E enquanto eu viver, vou orar por você. Como poderia ser diferente, se eu te amo tanto? — mamãe sorri com ternura apertando meu queixo entre seus dedos macios. — Vou sempre te entregar para Deus, porque antes de ser minha e do seu pai é a ele que você pertence.

Suas palavras me tocam tão fundo no coração que fico com vontade de chorar de novo.

— Sou uma chorona — sopro um riso pelo nariz fitando o teto para me controlar. — Assim eu choro de novo... Odeio ser tão sensível — confesso.

— Não diga isso. Ser sensível não é um defeito. E foi o Senhor que fez você assim. Ser uma pessoa sensível é uma bênção — ela me corrige e então diz: — Orei muito para ter essa conversa com você e pedi as palavras certas ao Senhor, de modo que você pudesse entender.

— Eu entendi sim, mãe. Está sendo importante para mim — falo com sinceridade.

— O Senhor deseja o seu coração por completo. Ele te chama para perto, para um relacionamento seguro e profundo de amor. Ninguém neste mundo ou fora dele vai amar você como o Senhor ama. É normal se apaixonar quando é jovem, desejar um rapaz, namorar, viver uma história de amor. Sei que nessa primavera da vida tudo é muito intenso. E são desejos legítimos, mas é preciso entender que há um tempo oportuno para o romance acontecer na sua vida.

— Acho que estou começando a entender isso — eu murmuro pensativa.

— Não entregue seu coração para qualquer um. Seu coração é o que você tem de mais precioso, filha. Ore para que o Senhor ensine você a guardá-lo não só de paixões levianas, mas de tudo o que puder prejudicá-la. Ore para que aprenda a esperar nele por um rapaz que será, antes de tudo, temente ao Senhor, que ame você e cuide de você da maneira certa. Eu sei que esse dia vai chegar. — Ela sorri com suavidade. — Seu pai morre de medo...

Acabo soprando uma risada pelo nariz.

— Não precisa se desesperar para ter o amor de um rapaz — ela continua. — Não vai ser esse tipo de amor fora de hora que vai validar você, completar você, proporcionar aquilo de que você realmente precisa. Sim, é maravilhoso viver um romance com alguém que nos ama de verdade, que nos trata com dignidade e respeito, e que acima de tudo ama o Senhor. Nunca vai ser tudo perfeito, mas é algo lindo, e eu vivo isso com seu pai. E falo com convicção porque tive outros namorados antes dele. Foram paixões passageiras e que tiraram muito de mim. Precisei aprender a deixar que Jesus também governasse essa área da minha vida. E foi maravilhoso quando encontrei seu pai.

Talvez seja a primeira vez que escuto minha mãe falar sobre namorados. Nunca tivemos uma conversa assim.

— Você só tem quinze anos e uma linda juventude pela frente para viver com o Senhor. Mergulhe no oceano do amor do Pai, minha filha, dedique-se a conhecê-lo, a estar com ele, a viver uma vida que o agrade. Só nele somos completas e amadas como ninguém nunca será capaz de nos amar.

Mamãe e eu conversamos por longos minutos. Suas palavras rondam meus pensamentos até que, após o jantar, me escondo em meu quarto, tranco a porta e dobro os joelhos na beirada da cama. O silêncio me envolve por um tempo. Incerta, envergonhada, ainda assim cheia de vontade de voltar a conversar com Deus. Há tantas coisas a serem ditas... Mesmo sem jeito, fecho os olhos e começo:

— Oi, Jesus.

— 21 —
Encarar a realidade e... sofrer

Então é isso: estou no colégio.

Respiro fundo, encaixo a alça da mochila no ombro e cruzo os portões.

É uma manhã normal, como outra quinta-feira qualquer. Os alunos lotam o pátio e os corredores conversando com seus grupinhos de amigos. Professores andam de um lado para o outro carregando nos braços o material de suas aulas. Está nublado e um pouco abafado. Sigo para as escadas da biblioteca porque lá é sempre fresco por causa das árvores. Envio uma mensagem rápida para minhas amigas avisando ter chegado.

Logo me sento em um dos degraus frios com as costas no corrimão de concreto e coloco meus fones para abafar o burburinho da manhã. Rolo o feed das redes sociais na esperança de me distrair. Mesmo assim, vez ou outra fico espiando o pátio e a cantina para tentar descobrir se Zack veio hoje. Tomara que ele tenha faltado. Tomara.

— Chér!

A voz de Pilar me encontra, enquanto ela corre em minha direção. Seus cabelos soltos balançam ao redor de seu rosto levemente maquiado.

— Oi, amiga — falo quando ela se aproxima com o rosto vermelho.

Pilar não responde, mas encontro seus olhos carregados de pena. Ela molda um beicinho choroso, larga a mochila e me obriga a ficar de pé para me envolver em seus braços.

— Sinto muito — sussurra sob o meu ombro. — Sinto muito, amiga.

Pilar tem um aroma doce. Seu abraço é tão bem-vindo. Meus olhos ficam rasos de água.

Ai, não quero chorar. Já chorei muito.

— Desculpa ter deixado você sozinha na festa — pede. — Me desculpa, amiga.

— Não foi sua culpa, Pilar.

O que aconteceu entre mim e Zack não aconteceu porque ela me deixou sozinha. Infelizmente eu quis ficar com o garoto. Desejei tanto Zack e só... quebrei a cara e o coração. Nunca, em todas as minhas dezenas de fantasias apaixonadas de nós dois juntos, eu poderia imaginar que ele fosse me tratar daquela forma.

— Me desculpa mesmo assim. Deveria ter te encontrado, ajudado, ido pra casa com você, eu...

— Amiga, foi tão ruim que eu nem consegui pensar direito — digo quando a gente se afasta.

Nós duas nos sentamos nos degraus. Pilar entrelaça nossos dedos.

— Queria apenas ir para casa o mais rápido possível. Voltar para a festa estava fora de cogitação. Ainda bem que encontrei o Luciano e dividimos um Uber.

— Ele comentou na segunda-feira que tinha te encontrado. Perguntei se você estava bem. Disse que te mandou mensagem, mas você não respondeu.

— Luciano me mandou mensagem?

Franzo o cenho e abro o zap. Deslizo o dedo na tela passando por grupos de família, escola, inglês... *aff*! São tantas mensagens que nem vi a do Luciano. Puxa vida! Tinha mesmo. O garoto havia perguntado se eu estava melhor. Dou um tapinha na testa quando me lembro do casaco dele que ficou comigo. No desespero de chegar em casa, nem tirei o casaco e muito menos o devolvi. Depois minha mãe fez a limpa no meu quarto e colocou as roupas sujas no cesto. Não vi mais o casaco nem essa mensagem!

— Chér, eu sei que você disse que estava melhor, mas quero saber de verdade como você está.

Guardo o celular.

— Amiga, estou melhorando. Triste, decepcionada, chateada, sabe? Ainda é recente. Se eu pudesse voltar no tempo... — sacudo a cabeça com pesar. — Só fico orando para o tempo passar o mais depressa possível e todo esse rolo com o Zack ficar no passado. Quero esquecer.

— Que raiva desse imbecil! — rosna Pilar. — Ele foi tão babaca, quero dar uns socos nele.

Acabo rindo.

— Essa seria a Bruna, e não você.

— Ela está revoltadíssima. Se você não tivesse feito a Bruna jurar não ir falar nada com Zack, aquele idiota já estaria com um olho roxo e um dente faltando na cara.

Minha risada explode no instante em que Bruna surge nas escadas.

— Ogrinha... — ela diz com o mesmo tom melancólico de Pilar. — Me deixa te abraçar, Chér.

Bruna não faz o tipo sentimental. De nós três ela é a mais durona. Mas quando alguém que ela ama se machuca, Bruna se mostra sensível, protetora e pronta para enfrentar o que for pela pessoa.

Recebo seu carinho, e ficamos abraçadas com ela me consolando. Pilar se junta para nos rodear com seus braços. Agradeço a Deus por ter as meninas na minha vida. A amizade delas é muito importante e especial para mim. Como é maravilhoso ter amigas presentes, que se importam, que riem e choram comigo. Amigas que são verdadeiras irmãs.

Tento ao máximo segurar as lágrimas.

— Amo vocês — falo emocionada.

— A gente te ama também — solta Pilar com voz fofa.

— Cafonas — Bruna implica com ranço fingido. Logo seus braços nos juntam outra vez.

Desfazemos o trio, minutos depois, e nos sentamos nos degraus. Bruna me bombardeia de perguntas preocupadas como Pilar. Dou a mesma resposta e ouço Bruna também lamentar o que houve comigo. Nenhuma palavra pode mudar o que aconteceu, mas o consolo das pessoas que eu amo ajuda muito.

— Chér, me deixa dar umas bofetadas naquele imbecil do Zack — Bruna diz, exaltada. — Ele merece.

— Não, amiga. Não quero problemas. Vamos deixar isso passar e tentar esquecer.

É o que vivo repetindo para mim como anestésico, ainda que provavelmente eu nunca me esqueça.

Cura essa dor, Jesus, oro em pensamento. *Faz parar de doer.*

O sinal toca, obrigando as três a sair das escadas e rumar para as respectivas salas. Apreensiva, a única coisa que desejo fazer é correr para me esconder no primeiro cubículo que encontrar. Depois de me despedir das meninas, já no início do corredor do ensino médio avisto Zack e seus amigos na entrada da sala de aula. Estremeço. Paro de andar. O pior é que ele me nota. É estranho. Não, é insuportável. Se a terra me engolisse agora eu nunca seria tão feliz.

Muito bem, Chér, ou você corre ou encara. Não tem escolha.

Mordo o lábio, agarro a alça da mochila com força e faço meu caminho. Procuro manter uma expressão neutra no rosto, como se não me importasse com a presença de Zack. À medida que me aproximo da sala, uma quentura me sobe. Vergonha e raiva duelam como guerreiros violentos dentro de mim.

Zack me encara. Solta um "Bom dia" que me força a trincar os dentes.

Muda, entro na sala e me acomodo no lugar de costume.

A sala está cheia e barulhenta.

Retiro meu material e... não, não, não.

Observo Zack seguir em linha reta até meu lugar.

Sinto o corpo enrijecer.

— E aí?

Por que ele está falando comigo?

— Eu...

— O que é? — rosno entre os dentes e até me surpreendo com o som. Encaro o garoto com todo o desprezo possível.

— Eu... — tenta ele outra vez.

— O quê? — soo fria e um pouco alto.

Zack desliza as mãos pelos cabelos e me fita, sério.

— Gostaria de conversar com você, Chér.

— Não.

A resposta sai rápida e afiada feito aço.

— Prometo que vai ser rápido, Chér. Quero muito falar com você.

Em outros tempos, ter Zack na minha mesa me convidando para falar qualquer coisa comigo me deixaria nas nuvens. Afinal, era o que eu sempre quis desde que me apaixonei por ele. Queria que ele me notasse, que se interessasse por mim. Uau! Como fui estúpida. Eu o achava o garoto mais lindo do planeta, e agora, ao encará-lo, não consigo ver mais nada bonito.

— Olha, Zack — abro meu livro de química, tirando minha atenção propositalmente de seus olhos azuis cheios de expectativa. — Não temos nada pra falar.

— Escuta, Chér — Zack baixa a voz. — Quero muito conversar com você. Me encontra no intervalo.

Reúno ar e coragem suficientes para dizer:

— Vê se entende uma coisa, Zack, não temos nada para falar. Sabe o que eu quero? Esquecer que um dia eu gostei de você, que um dia, para minha infelicidade, eu beijei você. A pior experiência da minha vida. Não pretendo repetir, nunca! Então, não, eu não vou conversar com você, não vou me encontrar com você, nem qualquer coisa do tipo. Só quero esquecer que você existe e aquela noite de sábado. Agora dá o fora que você está me incomodando.

O ar sai ligeiro dos meus pulmões, e eu só percebo ter disparado tão alto minhas palavras quando um coro de "*Uis*" explode pela sala.

— Ui, cara, essa doeu — comenta um garoto com risadinhas.

— O pior fora que já ouvi — aponta outro.

— Cala a sua boca! — Zack berra, e as veias saltam de seu pescoço dourado.

— Vem calar! — pede Iago.

Zack fica vermelho, muito irritado e começa uma discussão com Iago. A galera vibra com frenesi, de "*Uis*" e "*Aês*", e incita uma briga entre os meninos, rivais de longa data na classe. Humilhada, eu me encolho em meu assento, escorregando para baixo. E, como prova de que situações ruins tendem a piorar, vejo a professora de química geral em cima do tablado e ao seu lado está Luciano, que carrega o material dela nos braços e tem os olhos pousados em mim.

A discussão repleta de palavrões termina quando a professora enfim toma controle da situação e acaba com a bagunça. Relutantes, meus colegas vão se sentando nas respectivas cadeiras. A professora se vira para Luciano, agradece sua gentileza, retirando o material de suas mãos, e o dispensa para sua turma.

Afundo o rosto nas mãos, mortificada.

Minha classe inteira, Luciano e, em breve, o colégio inteiro, todos sabem que eu fiquei com Zack.

Fiz minha entrada triunfal de volta às aulas.

Perfeito! Nada menos que perfeito.

— 22 —
Música para acalmar

Pilar: Miga, não fica paranoica.
Chér: Como não, Pilar? Meu nome vai circular o colégio inteiro! Tô pirando.
Bruna: Já saiu alguma coisa no tt?

Minha unha feita está quase toda roída enquanto rolo a tela do Twitter mais uma vez. Deixo escapar um suspiro aliviado quando não encontro nenhum tuíte novo, mas continuo apreensiva. Desde que cheguei do colégio não tirei o celular da mão. Estive procurando qualquer menção do meu nome no perfil de atualizações e fofocas gerenciado por alunos. Sei que em algum momento algo sobre mim vai surgir. Tudo por causa de Zack. Que ódio!

Bruna: Você gritou mesmo com ele na frente de todo mundo?!
Bruna: Ogrinha, que orgulho de você, queria ter visto isso.
Bruna: Aquela peste loira humilhada satisfaz um pouco o meu desejo de vingança. Ainda quero socar aquela carinha de modelo que ele tem.
Pilar: Bruh, você não está ajudando.

Chér: Pode ter certeza de que amanhã meu nome vai estar no Twitter.
Chér: Vai ser um pesadelo!

* * *

Passei a noite com o coração agitado. Tive insônia de tanta preocupação. Nem sei quantas vezes rolei a porcaria da tela do Twitter. Acordei no susto já pegando no celular. Nada. Nenhuma atualização. Talvez eu não fosse tão importante assim para estar em um tuíte de fofoca. Quer dizer, não faço parte de nenhum grupinho importante da SP — apesar de Zack ser um dos populares. Nunca me senti tão feliz por ser "desconhecida" para a maioria. Talvez uma fofoquinha sobre alguém invisível não fizesse sentido para os administradores da página.

Aliviada depois de orar e dormir, fui para o colégio de manhã. Para minha alegria Zack havia faltado. Após aquela cena horrível de ontem, só o fato de sua ausência já foi ótimo. Ignorei ao máximo os olhares dos colegas e prestei atenção nas aulas. Como havia faltado três dias seguidos, perdi bastante conteúdo. Camille, uma colega bem simpática, me ofereceu as folhas de seu fichário. Agradeci e na hora do intervalo fui tirar cópias.

A área de papelaria do colégio fica anexada à secretaria. Vive lotada. Ainda bem que desci tão logo o sinal tocou. Debruçada no balcão de mármore frio, batuco os dedos esperando a tia terminar minhas cópias. Que calor faz aqui. Arrumo um coque mal feito e torço para a tia não demorar, porque ainda quero comer e ficar com minhas amigas.

— Oi.

Alguém se debruça do meu lado. É Luciano.

— Oi — falo baixinho, sem graça.

— Como você está, Chér? — ele quer saber me encarando de lado.

— Ah, eu tô... — Quico os ombros. — Indo — respondo evasiva. — Luciano, desculpa não ter respondido suas mensagens no sábado. Eu não vi. Foi mal.

— Tudo bem. Perguntei para suas amigas. Pilar tinha dito que você estava doente.

Aceno em confirmação, ainda que seja mentira. Ele viu meu estado no sábado, aposto que ligou os pontos depois de eu ter berrado ontem que tinha beijado o Zack.

— Esqueci de trazer seu casaco — aperto os lábios num pedido silencioso de desculpas.

Luciano faz um gesto com a cabeça, como se não tivesse importância.

— Depois você me devolve.

— Na segunda eu trago, sem falta — garanto.

— Aqui, mocinha. — A tia da papelaria retorna com minhas dezenas de folhas.

— Deu isso tudo? — pergunto amuada. — Vou sofrer para colocar essas matérias em dia.

A tia me lança um sorriso compreensivo, me entrega as folhas e pergunta a Luciano o que ele quer.

Cópias, o garoto responde.

— São para ela também. — Ele me aponta de lado com o polegar.

— Quê?! — Viro a cabeça para ele sem entender.

— Você perdeu duas aulas de reforço, Chér. A gente tinha passado alguns exercícios de fixação.

Meu rosto se contorce. Reparo umas cinco folhas nas mãos de Luciano.

— Algumas, né? Ai, fala sério, Luciano. Eu vou surtar. Não tenho neurônio para isso tudo.

— Tem sim — ele diz rindo. — É bom correr atrás, porque semana que vem tem teste.

— O quê?! — grito quase que na cara do garoto.

— O calendário de provas foi atualizado, Chér. Ficou disponível no sistema na segunda. Você não viu?

Não pode ser!

Pego o celular do bolso na velocidade de luz e confirmo a informação. O desânimo me domina.

— Tô encrencada. Muito encrencada!

O desespero bate quando lembro que ainda preciso melhorar minhas notas neste segundo bimestre. A recuperação paira feito uma nuvem cinzenta sobre minha cabeça. Se eu ficar, já era. Adeus viagem com minhas amigas. Quero chorar.

Largo o corpo em cima do balcão gemendo. Não há esperança para mim. Acho que expresso isso em voz alta, porque Luciano responde:

— Tem sim, Chér. Vamos estudar, pegar pesado. Acredito que você consegue, basta se dedicar.

— Você viu ao menos quantas folhas eu tenho para passar a limpo? — Sacudo as benditas no ar.

— Muitas, eu sei. Mas mantenha a cabeça no lugar e a gente vai dar um jeito. Eu ajudo você a estudar nas aulas de reforço.

— Luciano, eu tô precisando do reforço do reforço, querido.

O garoto dá risada. A tia retorna com as cópias do Luciano que na verdade são minhas. Pego da mão dela, relutante, fazendo beicinho. Junto todas as minhas cópias e caminho com Luciano para as escadas da biblioteca.

— Se você quiser, Chér, eu dou o reforço do reforço, beleza? — Luciano diz esbarrando seu ombro no meu de forma amigável.

— Sério, Luciano? — Ele faz que sim. — Olha, eu vou querer sim, por favor. Ajude essa pobre alma cheia de matéria para estudar e que não tem inclinação nenhuma para exatas — imploro com as mãos.

Luciano ri da minha encenação exagerada.

Agradeço por ele ser tão legal e estar disposto a me ajudar.

— Veja só se não é a pessoa que está faltando às minhas aulas.

É o que Dinho assobia quando me encontro com ele e minhas amigas nas escadas.

— Semana que vem eu volto, juro — mostro dois dedos cruzados.

— É bom mesmo, porque vamos entrar em prova — adverte ele.

— Tô sabendo. — Entorto os lábios e deixo minhas folhas com Pilar. — Vou comprar um copo de açaí, vocês querem algo? — pergunto.

— Eu queria suco, Dinho ia pegar pra mim, né, Dinho? — Bruna cutuca o braço do namorado.

— Eu vou com a Chér e ajudo a trazer — diz Luciano, plugando um fone sem fio na orelha.

— O que você está ouvindo? — pergunto enquanto seguimos para a cantina.

— Rivers and Robots.

— Como? — Traduzo mentalmente, mas desconheço. — É uma banda?

— Uma das melhores — Luciano declara e me entrega seu outro fone. — Aqui. Escuta só.

Desconfiada, coloco o fone e permito que a música me envolva por alguns segundos. É em inglês e não preciso de muito tempo para amar a letra. Quero mais da banda. Não devolvo o fone para Luciano até subirmos para nossas respectivas classes quando o intervalo termina. Mesmo sob todo o peso dos últimos dias, as matérias acumuladas e as provas iminentes, sinto uma paz invadir meu coração enquanto cantarolo a música que ouvi com Luciano.

And Lord, You are the shepherd of my soul
So I lay down my plans, I give up my rights
And let You take control of this surrendered life
[Senhor, tu és o pastor de minha alma,
Por isso te entrego meus planos, renuncio meus direitos,
E deixo que assumas o controle desta vida rendida]

E é assim que encaro o restante de minha manhã no colégio.

— 23 —
Todos sabem

A segunda-feira chega preguiçosa. Estou moída e sem a menor vontade de ir para o colégio. No fim de semana, além de ajudar minha avó com a loja, reorganizei algumas coisas no meu quarto e até tirei as duas fotos de Zack escondidas no meu pequeno "varal de memórias". Também me perdi em dezenas de exercícios. Quebrando a cabeça para tentar resolver algumas questões, mandei mensagens para o Luciano pedindo um *help*. O garoto foi gentil e paciente me explicando, por áudios e mensagens, partes das matérias para que eu solucionasse algumas questões — leia-se três de dez.

A sensação é de que o fim de semana durou uma vida toda e ao mesmo tempo passou muito rápido. Não fiz nada prazeroso, só estudei e ainda assim não entendi metade do conteúdo. Queria estar esperançosa para os testes, mas a verdade é que vou tomar bomba. Com certeza minhas férias de julho estão comprometidas. Motivo suficiente para ficar irritada. Minhas amigas vão me matar, é óbvio. Bruna já tinha me ameaçado de morte. Planejamos essa viagem desde o ano passado. Meu pai nunca me deixou viajar sem eles, e seria a primeira vez que eu iria só com minhas amigas — e com os pais de Bruna, claro, como responsáveis.

Se eu tivesse me dedicado e estudado mais... a verdade é que não me preocupei tanto assim. Quer dizer, lógico que não quero ficar de recuperação e ir para o colégio enquanto está todo mundo aproveitando as férias. Acontece que, sendo honesta comigo mesma, conquistar Zack se tornou a única coisa em que eu conseguia pensar nas últimas semanas. No último ano! Zack era meu único desejo, e agora só me arrependo de tudo.

No meu conto de fadas, beijei um príncipe que virou um *troll*. Sinto asco só de lembrar. Sacudo a cabeça para espantar as lembranças recorrentes.

O que me resta para hoje é me arrumar para o colégio ou vou me atrasar.

* * *

Zack acabou de tentar falar comigo no intervalo. Não respondo, apenas giro nos calcanhares e saio de perto pisando duro. Estudamos juntos e ter de vê-lo no colégio já é desagradável o bastante. Ele forçar comunicação comigo só me irrita mais. Antes de sentar para comer com minhas amigas, largo a bandeja com tanta força em cima da mesa, que o suco de uva respinga na madeira.

— Eita — exclama Bruna já pegando uns guardanapos para secar.

— O que houve, amiga? — Pilar questiona intrigada abocanhando o restante da coxinha.

— Zack é tão irritante — atiro. Mordo meu salgado com força e percebo que nem fome sinto mais. Vou comer na base da raiva. Não acredito que perdi a fome por causa daquele *troll* em forma de garoto. Inadmissível.

— O que ele fez? — pergunta Bruna ávida por minha resposta.

Minha amiga defensora está apenas me esperando para dizer "vai lá e acaba com ele, amiga". Parte de mim acha engraçado.

Bruna é tão esquentadinha que não pensa muito às vezes. Não levar desaforo para casa é o lema dela. Já Pilar e eu somos do tipo "deixa quieto que é melhor". Não suportamos conflitos e brigas.

— Zack tentou falar comigo, de novo. Disse que precisamos conversar — rosno, sugando o suco pelo canudinho. — Qual é a parte do "não temos nada pra falar" que aquele *troll* ainda não entendeu? — solto a pergunta para nenhuma das duas em específico.

— *Troll*? — repete Bruna com graça amarrando os fios loiros num coque frouxo.

— Chér — Pilar ergue os olhos do celular e os pousa em mim. — Miga...

Pilar morde o lábio, parecendo incerta. Quando me encara é como se pedisse desculpas.

— Saiu no Twitter dos alunos — revela baixinho.

Levo alguns segundos para entender. Metade do salgado na boca, a outra mão ao redor do copo gelado de suco e os olhos se agigantando no rosto. Essa é minha expressão até largar tudo para puxar o celular da Pilar. Estampado na tela, o seguinte tuíte:

Parece que já sabemos quem foi o pivô do término do Zack com a Brenda. Rochelle da 1001 é o nome da gata. E a Brenda afirmando que eles tinham dado um tempo. Um tempo bem longe um do outro só se for kkkk.

Uma garota comentou: *Gente, vcs perderam o barraco que teve na sala. Zack tomou um fora.*

Outra tuitou: *Eu vi! Zack se declarou e a guria esculachou ele. Tadinho. Deu pena.*

Uma escreveu: *Quem dispensaria o Zack? Que maluca.*

Não, eu não sou um pivô. Zack não se declarou. Não fiz nenhum barraco.

Meu rosto esquenta. Entrego o celular para Pilar, sentindo um caroço instalado na garganta.

Aviso que vou ao banheiro. Pilar e Bruna se levantam prontas para me seguir. Digo que quero ficar sozinha. Cabeça erguida, o peito ardendo, tento não chorar na frente de dezenas de colegas que, se não sabiam sobre mim e Zack, agora estão sabendo.

No banheiro, entro no primeiro cubículo vazio que encontro. Desabo sentada na tampa do vaso.

Pego o celular e releio os comentários.

Há um tempo eu achava divertido os alunos manterem um Twitter de atualizações do colégio, fofocas, memes, dicas de provas, piadas com os professores... agora vendo que é meu nome ali estampado em um boato me sinto mal.

É terrível ser alvo de fofoca, ainda mais quando a história não é bem assim como contam.

Esfrego o rosto para espantar as lágrimas. Não acredito que voltei a chorar depois de prometer a mim mesma que não choraria mais por causa do Zack. Não consigo me controlar. Na verdade, acho que estou chorando por mim. É um misto de vergonha e culpa.

Nada vai resolver o que passou, nada. Mas se ao menos fosse possível deixar tudo isso para trás...

Agora todo mundo no colégio sabe que fiquei com Zack.

Encarar meus colegas me sufoca. Se eu tivesse permissão para ir embora direto para casa agora eu iria.

Deus, por favor, me ajuda a passar por isso.

Limpo o nariz no papel higiênico enquanto, minutos depois, escuto o sinal soar distante. Não sei se fico aliviada ou mais infeliz. Vou ter de enfrentar todo mundo, querendo ou não.

* * *

Foi impossível me esconder dos olhares da classe. Meu sangue quente correu para o rosto e permaneceu ali. Segurei as emoções conflitantes e não derramei nenhuma lágrima. Seria o fim chorar na frente dos colegas e de Zack. Permaneci o restante das aulas de cabeça baixa, escrevendo qualquer coisa no caderno. Fiz rabiscos intermináveis e não prestei atenção em nenhuma das revisões. Minha mente não conseguia focar a matéria. Meus testes começam na sexta-feira, e a impressão é que não sei nada de nada. Não posso tomar bomba. Preciso estudar.

Ainda assim, mandei mensagem para o Luciano e cancelei nosso "reforço do reforço", a aula extra que ele me daria depois do treino de futebol. Sem chances de eu continuar na escola depois desta manhã.

Em casa, almocei, tomei um banho quente e me atirei na cama com meus fones. Dormi a tarde inteira ouvindo Rivers and Robots. Por causa disso, perdi as ligações da vó Lourdes, da minha mãe e do meu pai.

Abro o aplicativo de mensagens e deparo com várias dos três meio desesperados com meu suposto sumiço. Droga! Deveria ter avisado minha mãe que eu tinha ido dormir. Com certeza ela deve ter pensado que fui sequestrada ou algo do tipo. Se bem que eu havia informado que ficaria na escola para estudar. Se ela ligou para escola... *Ai!* Estapeio a testa com os pensamentos e já retorno a ligação de mamãe.

Assim que ela atende, ouço também o barulho inconfundível da porta de casa sendo aberta. Corro para a sala e encontro minha mãe entrando com minha avó.

— Por que você não atende o telefone, meu bem? — A reclamação exasperada é todinha de vovó.

— Desculpa, vó — peço com um beicinho e dou um beijo estalado em sua bochecha.

Vó Lourdes tem cheiro de lavanda com açúcar. Não é bem perfume, e sim creme corporal. Essa é sua fragrância preferida desde que me entendo por gente. Vovó é mais ou menos da minha altura, tem o corpo magro, porém curvilíneo. Seus cabelos castanhos vivem escovados na altura do pescoço e ela só anda maquiada, embora seu rosto não revele a idade que tem. Amo o estilo sofisticado de vovó, sempre bem arrumada, com colares e pulseiras extravagantes.

— Cheguei tão cansada que dormi a tarde toda — eu me explico para as duas.

— Podia ter me avisado, né? Ganhei umas três rugas de preocupação — resmunga minha mãe.

— Haja botox — brinca vovó. Dou risada, e mamãe retorce os lábios.

Só então percebo as muitas sacolas que minha mãe carrega nos braços. Noto o selo da padaria e meu estômago comemora. Depois de pedir desculpas por não ter dado notícias, deixo um beijinho no rosto da mamãe. Em seguida, tomo as sacolas de suas mãos para fuçar o conteúdo.

Pães, óbvio, queijo, baguetes, sonhos, *humm*... cheirinho de padaria.

— Você está bem, filha? — Ela alisa meu rosto como se procurasse alguma indicação de mal-estar. — Seu rosto está um pouco abatido.

Disfarço remexendo nos itens da sacola.

— Estou bem, mãe.

Fico na dúvida se devo contar sobre os acontecimentos na escola. Mamãe e eu estamos mais próximas, e sinto que posso confiar nela para contar sobre qualquer coisa. No entanto, prefiro manter apenas para mim a questão dos boatos no colégio. Ela ficaria nervosa e com certeza iria à diretoria, e não quero que isso aconteça.

— Só cansada, estou estudando bastante.

— Você não é de dormir tanto — aponta ela tentando correr os dedos pelos meus cabelos embolados. — Penteou esse cabelo hoje?

— Não. Lavei a cabeça e fiquei com preguiça de pentear.

Tiro a baguete de calabresa da sacola sentindo o aroma gostoso.

— Falando em cabelo, semana que vem vou cortar com Gioz — comenta vovó, de pernas cruzadas no sofá com o celular nas mãos.

Gioz é o cabeleireiro de vovó que trabalha em Ipanema. Ela só cuida dos cabelos com Gioz, e já se tornou uma tradição mamãe ir com ela e me levar junto para passearmos pela Zona Sul toda vez que vovó vai ao salão de beleza.

— Fala o dia, mãe, que organizo minha agenda para ir com a senhora — minha mãe fala tirando os sapatos de salto.

— Devo ir no sábado — informa vovó.

— Melhor ainda. Podemos ir ao centro desta vez, o que acha? Preciso comprar algumas coisas para casa. Queria ir também naquele antiquário do Sr. Mendonça. Vi que postaram no Instagram uma cabeceira *vintage* lindíssima.

Outro passeio tradicional são as idas ao centro do Rio de Janeiro para fazer compras. Adoro "turistar" por lá e fazer comprinhas, na maioria das vezes de coisas que não preciso, mas quem liga? Também gosto de arrastar mamãe e vovó para tomar café na confeitaria Colombo.

— Podemos ir bem cedo e tomar um café na Colombo — sugiro e mordo um pedaço da baguete.

Minha ideia agrada mamãe, que diz animada:

— Perfeito! Está combinado.

* * *

Mais tarde, naquela noite, eu não deveria estar lendo os comentários que fazem sobre mim no Twitter, mas não consigo ignorá-los. Parte da minha história está estampada ali como se todos soubessem a verdade e tivessem o direito de falar da minha vida. É cruel. Queria não me importar com coisas assim, mas a verdade é que o que as pessoas falam sobre nós importa e às vezes machuca muito. Isso é tão triste e irritante.

Quando me dou conta lágrimas quentes estão transbordando dos meus olhos, e é assim que me obrigo a desinstalar o Twitter e orar ao Senhor. Derramo o coração e conto tudo o que estou sentindo, e também peço ajuda para suportar essa situação infeliz.

Adormeço pouco depois, abraçada por uma cálida sensação de tranquilidade que sei que vem de Jesus.

— 24 —
Suportando

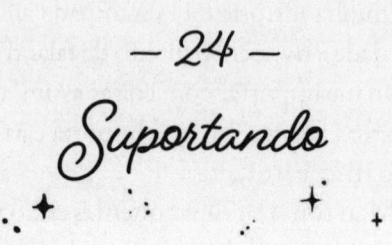

Suportar. Minha nova palavra favorita. Quando minhas amigas perguntam como estou, digo que estou "suportando". Cansa dizer que "estou bem". Na verdade, elas sabem que é mentira. Quem ficaria bem quando seu nome está circulando em fofoquinhas pelo colégio inteiro? Agora eu sou "aquela garota da 1001" que fez o Zack terminar com a Brenda, a que chutou o garoto depois de ficar com ele, a que está se achando muito e que tem feito o Zack sofrer. Fala sério! Sofrer? Era no mínimo uma piada.

    Quis rir quando ouvi isso de uma garota na fila da cantina. Gostaria de saber o que esse pessoal pensaria de Zack se eu contasse como ele me tratou com tamanha falta de respeito naquele dia. Queria ser corajosa para isso, mas não sou e seria outra forma de me envergonhar, de ter meu nome na boca dos meus colegas. Não quero que isso aconteça. Jamais.

    Passei o restante dos dias no colégio... suportando. As aulas complicadas, Zack me encarando — ao menos não falou comigo mais nenhuma vez —, Bruna querendo tirar satisfações com todos que falavam de mim, Pilar pisando em ovos porque está ficando com um colega do Zack, minha mãe tentando de todas as formas extrair informações porque, segundo ela, eu ando "meio cabisbaixa", Dinho e as aulas de reforço, a chatice que é estudar matemática, física e química.

Apenas suportei essa semana. Ah, e ainda tive aulas extras com o Luciano ao longo dos últimos dias. Coitado do garoto, se esforçou tanto para me ajudar. Nem sei como ele não desistiu de mim, porque eu mesma quero desistir da minha vida estudantil, que está só por um milagre.

Na hora da prova de português, estou pensando nisso em vez de elaborar um texto dissertativo argumentativo sobre o preconceito linguístico no Brasil. Mordo a ponta achatada do lápis para extravasar. Não sei o que é pior, elaborar textos ou resolver problemas de exatas. Por que precisamos ir para a escola? Para que tantas provas? Sei que no final de tudo muitas dessas matérias insuportáveis serão esquecidas e não vou usar para nada. Se ao menos eu soubesse o que quero fazer na faculdade, talvez pudesse me focar em ser boa em matérias específicas. Mas por que estou pensando em faculdade? Credo! Dá desespero só imaginar ter de me decidir por alguma e encarar a prova mais absurda de todas, o Enem.

Rochelle, para de pensar nisso. Concentre-se na redação, ou pelo menos tente.

Quase dez minutos depois, ainda estou encarando a bendita redação. Fico tentando extrair dos meus neurônios espertos aqueles modelos prontos que estudei com Luciano e treinei em casa. Releio os textos um par de vezes e começo, enfim, a elaborar o que se pede na questão. Quando finalizo a prova, entrego o mais rápido que posso e caio fora.

— Como foi? — É a primeira coisa que Luciano me pergunta quando nos encontramos no pátio.

— O que você acha? — Suspiro com o peso da nota baixa sobre os ombros. — As questões objetivas foram... ok. Agora a redação... — Moldo uma careta para enfatizar quão ruim foi.

— Qual foi o tema? — pergunta ele enfiando as mãos nos bolsos do moletom.

— Por que você tá de moletom? — reparo, confusa, e aponto para o sol quente. — Está calor hoje.

Luciano mostra um sorriso torto.

— Costume. Na sala está sempre um gelo. Sou friorento. Também estou me preparando para o inverno — caçoa. — Falando em moletom... — diz ele deixando a frase morrer com uma sobrancelha erguida de modo sugestivo.

— Ai, caramba! — Estapeio minha testa.

Escuto sua risada.

— Olha, se você quiser ficar com ele pra você...

— Claro que não, Luciano! — exclamo rindo pelo nariz. — Desculpa. Esqueci de trazer durante a semana. Tanta coisa na cabeça...

— Relaxa, só estou brincando. — Luciano esbarra no meu ombro como quem diz "tá tudo bem".

— Eu sei, mas com fundo de verdade, né? Fica parecendo que não quero devolver, mas não é isso. Sou muito esquecida, Luciano. Pode deixar que na segunda eu trago.

Pilar nos encontra nas escadas da biblioteca. Esbaforida como sempre.

— O que foi aquela redação? — reclama de rosto vermelho. Ela dedilha os cabelos para prendê-los num rabinho de cavalo. — Odiei!

— Foi mal, amiga? — quero saber puxando as cutículas com os dentes.

— Lógico, né!

— Ai, que bom — solto aliviada.

— Chér? — reclama Pilar de cara feia para mim. — Isso não é motivo de alegria.

— Faz eu me sentir menos pior, sabe — confesso ouvindo Luciano rir do meu lado. Ele coloca um dos fones de fio branco na orelha direita.

Pergunto o que ele está ouvindo, e Luciano me empresta o outro fone.

Durante a semana, Luciano me apresentou várias bandas *folks* cristãs que ele gosta de ouvir. Não conhecia nenhuma. Toda vez que pergunto o que ele está escutando — afinal, Luciano vive no mundo da música — ele me empresta um fone.

Tento ouvir a canção enquanto meu outro ouvido se enche das reclamações de Pilar.

Bruna e Dinho chegam risonhos e cheios de grude. Minha amiga animadinha está com um braço em torno do pescoço dele, que a segura pela cintura. Eles têm olhos brilhantes e são tão fofos juntos. Tá na cara que os dois estão apaixonados. Dinho já se declarou, Bruna não. Acho que arrancar um "te amo" da Bruna deve ser um trabalho hercúleo. Solto um riso e me pergunto quando ela vai parar de enrolar o coitado e assumir esse namoro.

Acompanho o assunto sobre o teste. Apesar de Dinho e Luciano serem do segundo ano, parece que as provas foram parecidas. Luciano comenta uma coisa e outra, acaba se mexendo e meu fone cai. Reclamo e recoloco na orelha.

Enquanto meus amigos combinam de ir tomar sorvete ou açaí depois da aula, começa outra música e me perco na letra. Gosto tanto que acompanho a batida com os pés. É tão bonita. Já quero saber o nome da música.

Quando paramos para comprar açaí, peço ao Luciano que me passe sua playlist.

— Te mando por mensagem — ele fala, enrolando os fones em torno do celular e guardando no bolso do moletom.

— Você tá de brincadeira? Tira esse moletom, Luciano. Tá o maior calor! — disparo, colocando uma colher de açaí gelado na boca. Aprecio o gosto da fruta batida com banana. Delícia.

— Larga de ser implicante — rebate Luciano, agradecendo ao atendente da loja e salpicando leite em pó no açaí como se tivesse nevado em seu copo.

— Eca — resmungo e lambo minha colher.

— O quê? — pergunta ele, ao que indico seu copo com cara de nojo. — Tá implicando com meu açaí agora, Chér?

Balanço a cabeça num não. Luciano sopra uma risada e começa a comer.

Bruna, Dinho e Pilar pediram os deles e foram embora, já que moram do outro lado da cidade. Ficamos Luciano e eu esperando nossos copos ficarem prontos. Pagamos e seguimos nosso caminho. Estou gostando de caminhar com Luciano para casa após alguns dias de aulas. Nesta semana fomos juntos na terça, ontem e hoje, uma exceção, segundo o garoto, já que o treino de futebol foi cancelado.

— Então você não gosta de leite em pó, hein? — Luciano quebra o silêncio.

— Não suporto a textura, sabe. Argh! Quando meu pai compra fico uma fera. Ele adora.

— Meu irmão também não gosta, faz o maior drama, que nem você, quando vê leite em pó.

— Drama que nem eu... — parafraseio com desdém e dou um empurrão no ombro dele.

Luciano se desequilibra e tropeça no meio-fio. Tapo a boca com uma mão. Ele me olha espantado como se perguntasse "*tá maluca?!*".

— Foi mal — me seguro para não gargalhar.

— Não falo mais do leite em pó. Que menina violenta, cara.

Ao menos ele levou na brincadeira.

— Eu sou um docinho — me defendo com charme. — Vem cá, quantos anos tem o seu irmão?

É a segunda vez que Luciano o menciona. Descobri esses dias que ele tem um irmão mais novo. Apesar de conhecer Luciano há algum tempo, desde que Bruna começou a sair com Dinho, nunca conversamos muito. Estamos ficando próximos por causa das aulas de reforço. Luciano tem se mostrado um colega muito legal.

— É mais novo que eu. Tem sete. O nome dele é Mateus. Um amor de pessoa — sua voz é carregada de ironia. — Ele estuda um pouco longe, em outro colégio. E você? Tem irmão?

— Queria. — Faço um beicinho de lamento e como mais açaí. — Pedi várias vezes, mas meus pais me ignoraram com sucesso.

— Que pena... — diz Luciano. — Ou não — acrescenta divertido.

— Duvido que seu irmão seja assim como você diz, um "amor de pessoa" — uso sua expressão irônica.

— Eu amo meu irmão, daria a vida por ele, sério, mas é aquilo, né, somos irmãos.

— Pois é, nunca vou saber o que é isso.

Meu celular toca.

Entrego meu copo para Luciano, que o segura enquanto tento achar meu aparelho dentro da mochila. Assim que o encontro vejo a ligação da minha avó Lourdes.

— Oi, vó — atendo de imediato.

— Meu bem, você ainda está na escola?

— Não — respondo. — Saí faz alguns minutos. Por quê?

— Ah, sim. — Escuto ela suspirar. — É que fiquei presa na loja — conta com casualidade.

— Como assim, vó?! — Meus olhos crescem. — Você está trancada?

— Minha cabeça está cheia de coisas, a Gigi pediu demissão, estou sozinha e com novos produtos para organizar, aquela loucura que você conhece. Como estava na hora do almoço, fui ajeitar algumas prateleiras. Não lembro bem como deixei a chave para fora, e algum engraçadinho passou e me trancou aqui.

Que palhaçada! Fico chateada só de ouvir vovó contar.

— Coisa de criança, né? — falo ajeitando a alça da mochila no ombro. — Que estúpido.

— Adultos também podem ser.

— Vou atravessar a passarela e te ajudo, vó.

— Muito obrigada, meu bem.

Encerro a ligação e me dou conta de que quase congelei a mão do Luciano.

— Foi mal — lamento e pego meu copo de volta. Luciano limpa os dedos na calça jeans.

Conto que minha avó ficou presa na loja e que tenho de fazer outro caminho para ir até lá.

— Posso ir com você — Luciano se oferece, e aceito sua companhia.

— 25 —
Conselho de vó

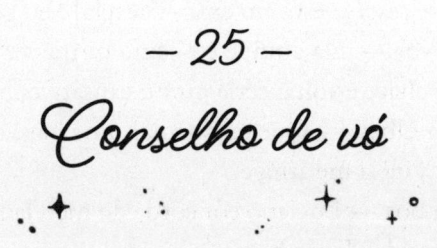

Uma vez que Luciano não tem nada melhor para fazer, segundo ele mesmo, me ajudar a resgatar uma senhorinha em apuros parece uma boa opção. Lado a lado, vamos terminando de comer açaí e conversando enquanto atravessamos a passarela em espiral que cobre a estação de trem. O centro está apinhado de gente, como de costume a essa hora.

A loja da minha avó fica em uma galeria coberta. Apresso o passo, sob o sol quente, e conduzo Luciano até lá.

— Ué, cadê a chave? — é o que eu pergunto quando paro em frente ao blindex da loja.

Luciano está procurando pelo carpete, na lixeira próxima e em outras partes no entorno da loja.

— E aí? — pergunto para ele, que sacode a cabeça em resposta.

Que ótimo, a chave sumiu.

Ligo para minha avó, que de repente aparece do lado de dentro. Basta me ver para abrir um sorriso que só posso definir como aliviado. Ela se aproxima da porta e fala pelo vidro:

— Abriu?

— Não, vó. A chave não está aqui — informo aborrecida.

Como alguém pôde fazer algo tão travesso? Isso é maldade.

Vó Lourdes fica decepcionada e aperta o espaço entre o nariz e a testa como que refletindo.

— A chave reserva está em casa — revela, e eu gemo.

— Sério, vó? — Ela anui, e eu gemo outra vez. Ter de ir em casa buscar a chave e voltar seria muito cansativo, mesmo que eu chamasse um Uber. — Que tal chamar um chaveiro? — proponho quando a ideia me atinge.

— É uma boa — Luciano concorda do meu lado.

— Oi, querido. Tudo bem?

Acho que minha avó nota Luciano, porque o cumprimenta com um sorriso afetuoso.

— Esse é o Luciano, vó. Um amigo do colégio — apresento.

— Prazer, eu sou Lourdes. — Vovó toca o próprio peito num gesto que acho fofo. Ela sempre se apresenta assim para as pessoas. É muito gentil e carinhosa.

— É um prazer conhecer a senhora — Luciano retribui com um sorriso contido, escondendo as mãos nos bolsos laterais de seu jeans.

Para não ter de deixar a vó Lourdes sozinha, meu colega vai em busca do chaveiro enquanto permaneço ali, segurando a mochila dele e o moletom que, enfim, tirou.

— Apenas amigos, certo, meu bem? — vó Lourdes me pega desprevenida com a pergunta.

— Vó! — Franzo a testa meio rindo de vergonha por sua pergunta inesperada.

Vovó nunca foi do tipo que tocou no assunto "namoradinhos". Ainda bem. Já não basta ter de aturar os irmãos do meu pai e todo o ciclo de implicância sem fim.

— O rapaz é uma gracinha, mas você está muito nova para ficar de caso — adverte ela com seriedade afofando os cachos de babyliss.

— Ficar de caso? — Começo a rir porque a expressão é hilária.

— Espere o tempo correto, sim? Ainda há muito que aprender e amadurecer.

Que papo profundo através do vidro da loja com vovó neste momento do dia.

— Tá legal, vó. Não estou de caso com ninguém. A propósito, meu coração está fechado como um baú a sete chaves ancorado no fundo do mar — garanto com uma expressão engraçada.

— Não, meu bem — retoma vovó me fitando pelo outro lado do blindex. Seus olhos são amorosos. — Ancore seu coração em Jesus, se esconda nele. Seu coração é como um jardim, não deixe que ninguém entre para colher flores antes do tempo, puxando suas pétalas e pisoteando seus canteiros. Ainda que um intruso tente se aproveitar do que não lhe pertence, chame pelo jardineiro fiel, o dono do jardim. Ele é mestre em plantar, cuidar, restaurar e fazer florescer outra vez.

Vó Lourdes me deixa muda. Ela se afasta do vidro indo mexer em uma prateleira que atrai sua atenção, alheia ao efeito que suas palavras têm sobre mim. É como se Deus tivesse dito aquelas palavras para mim através dela reafirmando o quanto deseja cuidar do meu coração. Fico aquecida por dentro. Isso é o que mais quero agora, que o Senhor seja o sol que faz meu jardim florescer.

— Arranjei um.

Luciano surge e me tira do meu estado pensativo. O chaveiro está com ele.

Poucos minutos depois a porta é aberta, minha avó fica aliviada e feliz despejando agradecimentos sobre o moço, Luciano e eu. Após apresentar a pequena loja para meu colega, vovó nos convida para almoçar com ela como recompensa por termos sido "instrumentos de Deus em seu resgate", nas divertidas palavras dela. Fomos os três almoçar num self-service que eu adoro, no segundo andar da galeria. Vó Lourdes aproveita para conhecer Luciano perguntando a idade dele — dezessete anos —, sobre seus pais, como nos conhecemos, a igreja em que congrega e mais coisas aleatórias.

Meu colega, por sua vez, não pergunta a idade da vovó, que comenta mesmo assim — setenta anos —, mas lhe faz várias outras perguntas. A conversa flui natural e prazerosa. Assim que terminamos de almoçar, nos despedimos de vó Lourdes e Luciano promete visitar minha vó outra vez e trazer a mãe dele para gastar um pouco na loja, comentário que deixa vovó bem animada.

— Sua avó é muito gente boa — comenta Luciano quando retomamos nosso trajeto para casa. — Ela é muito divertida, Chér.

— É de família — faço graça tirando risos de nós dois.

— Estou pensando sobre o que você comentou a respeito da igreja de vocês — Luciano fala depois de caminharmos por alguns minutinhos.

— O quê? — pergunto ao atravessarmos um cruzamento às pressas.

— Você disse que não há muitos jovens lá na sua igreja.

— Ah, sim — olho para ele de soslaio, indo para o canto da calçada. — A maioria é de jovens adultos e casados. Se tiver uns três da nossa idade é muito. Minha igreja é lugar de gente velha.

Luciano sopra um riso pelo nariz e me olha de lado enquanto diz:

— Olha, amanhã vai ter culto jovem lá na minha igreja. Não fica muito longe da sua casa, podemos ir a pé. Geralmente eu passo no seu prédio para buscar a Talita e a Thabata. Te falei delas, né?

— Sim, sim — confirmo com um aceno.

— Se quiser ir com a gente, vai ser bem-vinda. Minha igreja tem bastante jovens. Você se enturmaria fácil, Chér.

— Acho que quero ir — digo com a súbita empolgação do momento sem pensar muito no convite. — Tenho que falar com meus pais primeiro, tá? — completo meio segundo depois. — Mais tarde te mando mensagem para confirmar.

— Beleza. Você vai gostar, Chér. Sei que vai.

Retribuo o sorriso gentil de Luciano me sentindo animada para o culto.

— 26 —
Noite especial

— Filha, você ainda não escolheu sua roupa? — Minha mãe aparece na soleira da porta na noite de sábado.

Gemo em resposta, remexendo nos cabides dentro do armário.

Estou há longos minutos procurando algo para vestir. Nada me parece bom.

Libero um suspiro e aterrisso na borda da cama, escorregando como uma geleia.

— Santa paciência, Rochelle — minha mãe resmunga, entrando de vez no meu quarto. — Coloca um jeans, uma camisa, um tênis e se apronta. Que dificuldade há nisso?

— Não queria ir de jeans, mãe — respondo.

— Quer usar o quê, então?

Torço os lábios e cutuco as unhas com os dentes.

— Não sei.

— Você é tão indecisa — acusa ela.

— Eu sei — gemo outra vez e me atiro de costas na cama.

Acordei com cólicas. Péssimo sinal para um dia que prometi a mim mesma que seria agradável. Amanhecer com cólicas é atestar que terei no mínimo cinco dias odiosos. Mais cedo tomei remédio para dor e continuei no quarto vendo séries e comendo chocolates, é claro. À tarde, fiquei me perguntando por que não avisei ao Luciano que desisti de ir com ele para o culto. Não estou com a mínima vontade de sair hoje. Enrolei e não desmarquei o compromisso. Agora estou aqui chateada por não encontrar nada novo para vestir e começando a ficar irritada porque tenho de sair de casa.

— Acho melhor mandar mensagem para o Luciano e avisar que não vou mais.

É o que digo de forma retórica, mas minha mãe responde:

— Nem pensar, mocinha. Você não vai deixar de ir para o culto só porque está indecisa quanto à sua roupa. — Ela balança a cabeça para mim de modo repreensivo.

— TPM, mãe. TPM — suspiro, jogando um braço sobre o meu rosto.

— Está com dor?

— Hum — balbucio sem querer dizer que estou sem cólicas no momento.

— Está ou não? Tomou seus remédios?

Sim, me incomoda o fato de mentir só para ficar em casa. Não é como se eu não tivesse usado esse recurso antes até mesmo para não ir à igreja — ainda que na maioria das vezes minha mãe tenha praticamente me levado à força. No fundo, eu quero ir, apenas não quero ter o trabalho de me arrumar e sair de casa. É, eu sei o quanto sou contraditória. Às vezes nem eu mesma me aguento.

O celular toca. Me levanto de uma vez com receio de ser o Luciano.

— Atende, filha.

— Preciso encontrar primeiro, né.

Procuro o celular em meio à bagunça que está o meu quarto e encontro o bendito em cima da pia do banheiro.

— Amanhã sem falta quero este quarto limpo e organizado, Rochelle.

Ignoro o comentário de mamãe e atendo a ligação. É Bruna.

— Oi, amiga. — Sento-me outra vez na cama cruzando as pernas.

— Até que enfim, ogrinha. Você viu as mensagens no grupo?

— Não. Estava ocupada — conto beliscando a cutícula do mindinho.

— Percebemos. Escuta, Pilar e eu vamos dar um pulo no shopping. Pensamos em aproveitar para pegar um cineminha e passar naquela livraria de que a gente gosta.

Minhas amigas gostam de passear por livrarias, eu vou só pela sensação prazerosa de caminhar pelas estantes e pela companhia. Sempre nos divertimos muito quando começamos a brincar de adivinhar as histórias dos livros apenas pelo título.

— Quer ir com a gente? — Bruna convida alegre.

— Puxa, já tenho compromisso marcado, Bruh.

— Ué, com quem? Vai pra onde?

Conto que vou ao culto no mesmo instante em que uma blusa voadora cobre meu rosto.

— Mãe! — berro. Não acredito que ela arremessou a blusa em mim.

— Desculpa, mirei errado. — Sua risada alta me faz olhá-la como quem diz "*é sério isso*?", e acabo rindo de volta.

— Chér? Amiga? — Ouço a voz de Bruna pelo celular e me concentro na chamada.

— Não vou conseguir ir com vocês hoje, Bruh.

— Acho que ir para o shopping com suas melhores amigas é mais divertido que ir para a igreja, né, ogrinha?

É injusta a comparação. Adoro sair com as meninas, sempre nos divertimos. Porém, combinei com o Luciano e seria chato desistir em cima da hora.

Digo para Bruna que não vai dar. Ela resmunga contrariada e desligamos.

— Pronto. Veste essa blusa que te dei — fala mamãe.

— Me deu não — corrijo. — *Atirou* na minha cara.

— Foi sem querer, Rochelle. Anda, coloca o jeans e calça os tênis.

Desanimada, visto as roupas com uma lentidão absurda que faz minha mãe ficar me apressando.

O interfone toca e eu me sobressalto. *Ai, ai!*

— Deve ser o seu amigo.

Solto um gritinho nervosa tentando fazer o pé direito encaixar no All Star apertado. Por que minha mãe tem essa mania de lavar meus tênis brancos toda semana? O tecido fica rígido, parece que encolhe, sei lá. Prefiro meus tênis sujos e confortáveis.

— Mãe, você precisa parar de ficar lavando meus tênis — reclamo amarrando os cadarços.

O barulho do interfone nos interrompe no meio de uma saudável discussão sobre tênis imundos e fedorentos.

— Atende, mãe, e fala que já estou descendo.

— Mas você não está né, filhota. — Mamãe torce os lábios, eu faço careta. — Olha o seu cabelo.

— Droga, droga, droga!

Acho que praguejo alto demais porque ouço meu pai dizer *"olha a boca!"* sabe-se lá de onde.

Quando me olho no espelho do armário, odeio o estado do meu cabelo. Está pior que ninho de pássaro. Por causa da cólica, fiquei com preguiça de finalizar de forma decente.

O interfone toca de novo, e mamãe vai atender. Terei de apelar para o coque. *Aff.*

Entre tropeços acabo de me arrumar. Jeans escuro, camisa básica branca, colete jeans e o batido All Star. Pego minha bolsa transversal e o celular, seguro a Bíblia e deixo o quarto praticamente correndo. Na sala, meu pai está vendo um filme e avisa que minha mãe desceu para falar com meus colegas. Ontem, quando eles me permitiram ir, mamãe disse que gostaria de falar com Luciano e as meninas. Ao menos não foi o meu pai. Estalo um beijo rápido na bochecha dele, só porque exigiu um, e desço às pressas as escadarias do prédio.

Do lado de fora, o entardecer laranja com violeta pinta o céu. Está abafado, mas é um lindo fim de tarde. Fico tentada a pegar o celular e registrar a imagem. Amo tirar fotos do céu.

— Desculpa o atraso, pessoal.

Esbaforida, paro próxima de minha mãe, que sorri e gesticula enquanto fala com as meninas e com Luciano, parecendo bem à vontade. Corro os olhos pelas meninas, fazia tanto tempo que não via as duas.

Com alegria, Talita fala:

— Oi, Chér. Estou superfeliz que você vai com a gente hoje!

Ela me cumprimenta com um sorriso gentil, um abraço breve e dois beijinhos no rosto. Sua empolgação é verdadeira, porque seus olhos são brilhantes e seu sorriso é enorme.

— Podemos ir? Vou solar hoje e tenho que passar o som antes. Não posso atrasar — dispara Thabata agitada.

Desde que as meninas se mudaram para meu prédio, tive pouco contato com elas. Esbarrei com Talita algumas vezes, e em todas ela me pareceu muito simpática. Talita tem mais ou menos a minha altura, é magra, com um rosto fino de queixo proeminente, olhos escuros e cabelos escorridos num tom aloirado no limiar dos ombros. Está de trança e usa um vestido floral com botas coturno que me fazem lembrar aquelas garotas do campo. Amo esse estilo.

Thabata é tão bonita quanto a irmã e tem o corpo mais volumoso, rosto de boneca, longos fios negros, lisos e brilhantes na altura da cintura. Está de jeans como eu, usa uma bata rosa de um ombro só e sandálias de salto. Nós nos vimos poucas vezes. Diferentemente da irmã, que puxava um assunto ou outro comigo, com a morena troquei apenas cumprimentos cordiais.

— Tudo bem?

Luciano me cumprimenta com sua típica expressão tranquila. Ele está com os cabelos amarrados num coque baixo, usa calça preta e blusa da mesma cor com as letras "GZUIS" em branco, o que me faz de imediato desejar ter uma igual.

— Adorei sua camisa — aponto com o dedo.

Luciano desce os olhos para o peito como se não lembrasse a camisa que está usando. Isso me faz rir.

— Que milagre é esse que você está sem o moletom hoje? — Não perco a oportunidade de implicar um pouco com ele.

— Tá calor — Luciano se explica subindo os ombros com uma risadinha.

Balanço a cabeça para os lados.

— Está calor todo santo dia, Luciano.

Quando mamãe cessa seu falatório — isso porque eu fico empurrando-a para dentro do prédio fazendo todos, menos Thabata, rirem —, partimos finalmente para o culto.

— 27 —
Teu amor por mim

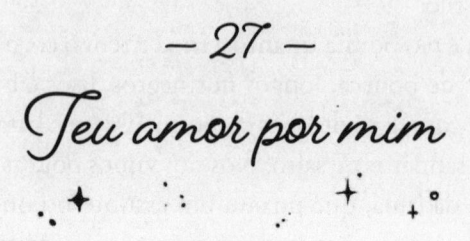

Não demorou muito para chegarmos à igreja. Luciano estava certo ao dizer que ficava próximo da minha casa, porque andamos apenas um pouco mais de quinze minutos. Com Talita e eu conversando como se fôssemos velhas amigas, fui relaxando conforme nos aproximávamos da igreja. Porém, bastou subir as escadas que minha barriga deu os primeiros sinais de nervosismo.

Visitar lugares e conhecer pessoas pela primeira vez sempre me deixa inquieta e tímida. Luciano se despediu de mim ao avisar que ficaria na cabine de som. Não esperava que ele fosse me deixar sozinha e acredito que minha expressão assustada deve ter revelado meus pensamentos, porque ele se desculpou com o olhar e palavras ao contar que o responsável da noite passou mal e por isso precisaria substituí-lo. Meu amigo garantiu que eu ficaria bem na companhia de Talita. E eu só não agarrei o braço dele e o obriguei a permanecer comigo porque senti certa afinidade com Talita.

Sozinha com ela, já que Thabata seguiu Luciano, fomos procurar um lugar para nos sentar. Talita me perguntou se eu tinha alguma preferência, e eu respondi que tanto fazia. Em minha igreja costumo me sentar no fundo. Talita escolheu a quinta fileira e pegamos dois lugares no meio. O templo estava um pouco cheio. Mal havia colocado minha Bíblia na cadeira e Talita me puxou pelo cotovelo dizendo que iria falar com alguns amigos. Tentei protestar alegando que não havia necessidade de me levar junto, que ficaria bem enquanto ela dava uma volta. Mas Talita me escutou? Não, apenas continuou me levando por entre as cadeiras azuis e os corredores.

Percebi enquanto seguia Talita que ela era muito sociável. Falou com todos que cruzavam nosso caminho. E, pela forma como as pessoas sorriam com alegria e a abraçavam, entendi que Talita era mesmo muito querida. Nosso *tour* pela igreja teve fim ao pararmos nos fundos, num pátio grande com mesas e cadeiras onde ficavam a cantina e um parquinho. Acima de nossas cabeças, dezenas de cordões de luzes amareladas tornavam bastante charmoso o espaço ao ar livre. A área externa era movimentada, com muitos jovens espalhados comendo, conversando e usando o celular.

Talita nos guiou até uma mesa próxima à cantina em que seus amigos estavam lanchando. Ela fez questão de me apresentar para todos eles — duas garotas e três garotos. Senti as bochechas quentes e sorri educadamente. Ainda bem que o culto começou e retornamos para nossos lugares.

No início, estranhei o momento do louvor. Parte das luzes se apagaram e o ambiente ficou um pouco escuro. Os louvores eram atuais, embora eu não conhecesse a maioria, o que achei diferente da minha igreja, que só canta hinos antigos. As canções eram bonitas, umas animadas e outras mais lentas. Tentei acompanhar as letras no telão e permaneci a maior parte do louvor com os olhos fechados, sentindo-me tensa. Não sei se Talita percebeu meu desconforto, pois sem eu prever a loira circulou meus ombros me abraçando de lado. Ao abrir os olhos vi que ela sorria com doçura na minha direção.

Seu braço permaneceu ao meu redor durante o restante das músicas, e foi um gesto muito bem-vindo quando a última canção em particular parecia ter sido escrita para mim. Tentei segurar as lágrimas, mas aquela letra acertou tão fundo meu coração que chorei. Não um choro discreto, mas copioso. Talita intensificou seu abraço acolhedor e me permiti relaxar ao ser amparada por ela.

Era como se uma capa envolvesse meu coração e, enquanto eu ouvia a música e orava nos meus pensamentos, essa película se desfizesse. Senti como se meu coração estivesse exposto, cada pedacinho de mim, cada ferida, cada dor. E como doía. Doía tanto que eu só conseguia chorar, e conforme eu chorava algo quente se derramava no meu interior e me preenchia. Uma forma de descrever seria dizer que eu me sentia cheia de algo pesado e depois vazia, e depois cheia de algo leve e novo. Fui das lágrimas a uma alegria que só consigo definir como divina. Agradeci ao Senhor por me amar tanto, ainda que eu não compreendesse a dimensão desse amor, e aí voltei a chorar, mas com o peito preenchido de gratidão.

Quando a hora da pregação começou, o pastor, mais jovem do que eu imaginava, leu o salmo 139 e se expressou como se todos ali fossem velhos amigos e estivessem em uma roda de conversa.

— Deus fez cada um de nós com propósito — disse ele com o rosto emocionado. — Não somos um erro, indesejados, mera obra do acaso, ainda que algumas pessoas possam pensar e dizer isso a nosso respeito. O que importa é que Deus nos fez de modo intencional e admirável, e antes mesmo que nascêssemos ele já nos via e nos desejava. Quando ouvimos coisas ruins a nosso respeito, devemos nos apegar a quem Deus é e no que ele diz sobre nós.

Com firmeza, enquanto andava de um lado para o outro, o pastor continuou:

— É por causa desse amor imensurável de Deus e de sua infinita misericórdia que ele enviou Cristo para nossa salvação, para nos resgatar de uma vida escrava do pecado. Para nos salvar da morte e de nós mesmos. Por causa desse amor, do sacrifício de Cristo, podemos nos tornar filhos de Deus e estar em comunhão com o Pai e uns com os outros.

O pastor olhou para sua Bíblia na mesa e depois disse:

— Voltando ao salmo 139, o autor vai dizer que não temos como nos esconder de Deus. Não há para onde fugir de sua presença. Ele nos vê o tempo todo. O Senhor nos conhece, sabe tudo sobre nós. Ele conhece nossos caminhos, pensamentos, palavras, ações. Conhece nosso passado, presente e futuro. E é motivo de alegria saber que um Deus tão grande, tão poderoso, criador da Terra, dos planetas, das galáxias, das estrelas, de todo o universo, nos conhece como ninguém e nos chama pelo nome.

Isso é lindo, e é reconfortante saber que não estou despercebida por Deus. Que ele me ama mais do que qualquer outra pessoa é capaz de me amar. Ele me vê bem aqui e agora. Ele me fez filha e me convida a ser sua amiga. O que mais quero é ser amiga de Jesus. Meus olhos se umedecem enquanto esse desejo intenso me queima por dentro e sussurro isso em pensamentos.

Conforme a mensagem avança, ouço tudo com atenção e entendo com clareza, algo que nunca tinha acontecido antes. Ao final, quando nos levantamos para orar, finalizo minha oração pedindo perdão a Deus por meus pecados e peço o que o salmista declara, isto é, que ele me conduza pelos caminhos da eternidade.

* * *

Do lado de fora da igreja, o ar está quente. Limpo as gotículas de suor da testa com as pontas dos dedos enquanto espero Talita retornar do banheiro. Assim que o culto acabou a loira literalmente correu para lá, e eu preferi aguardar no topo das escadas principais. Observo a movimentação dos jovens que se espalham pela calçada, e o cheiro de pipoca quentinha me atinge antes que eu encontre a carrocinha ali.

Antes de sair de casa eu tomei apenas um copo de achocolatado. Decido que vou comprar um pacote de pipoca salgada com aqueles pedacinhos de bacon que eu adoro. Respiro o aroma delicioso, e minha barriga reclama de fome. Desço as escadas driblando o pessoal e entro na fila da pipoca.

Aproveito os minutos sozinha para enviar mensagens para minha mãe. Enquanto digito, cantarolo baixinho a música que não me sai da cabeça. "*Teu amor por mim, Deus, o teu amor por mim não tem fim, não.*" Preciso saber de quem é essa canção. Jogo parte da letra no Google — o ajudante infalível dos leigos — e descubro que a música se chama "Teu amor por mim", de Luma Elpidio. Abro o Spotify, adiciono a música e sigo o perfil da cantora.

Vou adicionando outras músicas à playlist que nomeio "florescer", a fim de ouvir mais tarde quando chegar em casa. Nesse meio minuto, recebo mensagens de minha mãe. Ela me pergunta se quero carona para casa, mas dispenso, porque prefiro voltar andando com as meninas e Luciano. Como se eu o atraísse por telepatia, uma mensagem do garoto surge no topo da tela.

Luciano: Onde você está?

Digito que "*comprando pipoca*" e não leva minutos para Luciano me encontrar na fila.

— Ei — ele diz um pouco ofegante tocando no meu ombro.

Viro o rosto para encontrá-lo com a cara suada de quem acabou de correr.

— Estava correndo? — pergunto guardando o celular no bolso do jeans.

— Estava — ele me dá um meio sorriso sem graça. — Não vi você quando saí da cabine, e Thabata disse que tinha visto você ir para a cantina.

Ah, sim.

— Vende salgado lá, né? — é mais uma pergunta retórica, e Luciano assente. Penso se devo trocar a pipoca por um joelho recheado. Até salivo. — Então me leva, estou com fome. — Abro um sorriso engraçado com olhinhos pidões.

— Também estou faminto — ele diz com riso. — Escuta, o pessoal está combinando de ir comer pizza aqui perto. Não quer ir com a gente?

Digo um sim tão alto que recebo um par de olhos curiosos. Envergonhada com a risadinha do Luciano à minha volta, teclo duas mensagens para minha mãe, que me permite ir, mas afirma que vai nos buscar de carro mais tarde. Tudo combinado, sigo Luciano.

— 28 —
Bons momentos

— Então, gostou de ter vindo? — Luciano quer saber enquanto caminhamos lado a lado para a pizzaria. Estamos só nós dois, já que Talita está de braços dados com uma menina simpática chamada Gabi andando mais à frente junto do grupo de jovens.

— Para ser sincera... — pauso fitando Luciano de lado, que me encara com expectativa. — Eu pensei várias vezes em desmarcar com você mais cedo. Fiquei desanimada. Ainda bem que eu vim... Talvez tenha sido o melhor culto da minha vida — falo com emoção, com a memória fresca de tudo que acabei de viver. — Foi a primeira vez que me conectei, sabe? — Mordo o cantinho do lábio querendo que ele entenda, mas talvez não o faça.

— Sei, sim, Chér — Luciano balança a cabeça enfiando as mãos nos bolsos do jeans.

— Eu precisava desse momento, foi muito importante para mim — digo baixinho. — Obrigada por ter me convidado, de coração.

— Espere pelos próximos convites, porque eu vou te chamar mais vezes — avisa ele com uma piscadela engraçada. Luciano conta dos cultos da juventude e dos encontros informais do pessoal. — Qualquer dia te convido para ir.

Aceno com a cabeça bastante entusiasmada. Quem diria que eu ficaria empolgada para ir aos cultos? Escondo um sorriso e andamos em silêncio por alguns minutos até eu soltar:

— Quer dizer que você é o cara do som, hein?

— Mais ou menos... A verdade é que uma vez pediram que eu substituísse um dos responsáveis, e como eu já sabia mexer na mesa do som, me tornei o substituto oficial — ele brinca passando uma mão pela nuca. — Aí quando não estou na escala em outros ministérios, fico na cabine. Vou acabar entrando para a escala do som de uma vez.

— Você faz outra coisa na igreja? — pergunto ao dobrarmos uma esquina.

— Faço, eu sou do teatro e da recepção.

— Espera — peço com uma mão tocando seu ombro e nos fazendo parar na rua. — Você faz teatro?

Recebo um aceno como resposta.

— Não brinca! — Dou um leve tapa no ombro dele como quem diz "*não acredito*". — É sério, Luciano? Você faz teatro?

— Faço.

Sua resposta me encoraja a saber mais.

— Por que nunca me disse?

Ele quica os ombros, como se o assunto não fosse assim tão importante.

— Nunca surgiu a oportunidade.

Moldo uma expressão quase ofendida.

— Nunca surgiu a oportunidade? — repito com a voz aguda e cruzo os braços no peito, lançando meu olhar mais cortante. — Tá de brincadeira né, Luciano? Nós nos vemos todo dia, garoto. Como assim não teve oportunidade?

— Não é algo que fico contando por aí. Oi, meu nome é Luciano e eu faço teatro — Luciano imita uma voz engraçada, o que nos faz rir. — Não é nada demais, Chér.

— Para mim é. É um tipo de arte que acho muito legal, e eu tenho um amigo que é um artista e nunca me contou. Que vacilo hein, Luciano! — Levanto os dois polegares para ele com ironia.

— Ah, não foi por mal, só não comentei. Mas agora você sabe.

— Há quanto tempo faz teatro? — quero saber interessada e voltamos a caminhar.

— Desde os catorze. Não faz muito tempo — acrescenta ele, como se isso fosse argumento para não comentar sobre essa área de sua vida. Diante de meu queixo erguido meio bravo e insistente, Luciano solta um riso baixo.

— Comecei porque queria fazer uma coisa diferente. Estava procurando outros hobbies além de ler quadrinhos e jogar videogame — explica com um riso pelo nariz. — Na verdade, meu pai estava me pressionando para fazer esporte, e o Léo me convidou para uma aula experimental de teatro. Fui e gostei. É algo que eu adoro fazer tanto na companhia quanto na igreja. Quero ser profissional na área.

— Nossa, isso é muito incrível — comento gostando de saber mais sobre a vida dele. — Quer dizer que você já sabe o que fazer na faculdade? Vai ser teatro?

— É... — Luciano dá uma resposta não tão firme meneando a cabeça num mais ou menos.

— É ou não? — insisto.

— Quero fazer teatro na faculdade, estou certo da minha escolha. É que às vezes falar disso... — Luciano se interrompe com a mão na nuca outra vez parecendo sem jeito. Viramos em outra esquina e ouço seu suspiro profundo. — As pessoas normalmente encaram isso como uma escolha sonhadora, coisa de garoto, que não tem futuro, como se eu fosse um bobo.

— As pessoas normalmente são umas idiotas — disparo antes de conseguir controlar a língua.

— Pessoas como o meu pai?

Dou um rápido olhar para ele, que tem o rosto inclinado em minha direção. Sua sobrancelha espessa está erguida como se ele me desafiasse a concordar, e os cantinhos de seus lábios sobem com a sombra de um sorriso.

— Quer dizer, às vezes as pessoas só agem como idiotas, não significa que elas sejam — corrijo apertando os lábios para não rir.

Longe de mim insultar o pai dele, já que nem o conheço. Seria muito injusto, mesmo que pela simples frase de Luciano eu consiga perceber que o pai dele é contra sua escolha de fazer teatro profissionalmente.

— Talvez seu pai só não entenda o que você quer — dou de ombros.

— Ele não entende nada, Chér.

É a maneira como Luciano abaixa a cabeça e parece cabisbaixo, de repente, que confirma minhas suspeitas. Queria poder conversar mais com ele sobre o assunto, mas parece que chegamos à pizzaria.

— Tô varado de fome — um garoto dispara empurrando a porta de vidro, e todos entramos no ambiente refrigerado e bem cheio.

Pegamos uma mesa nos fundos, e nosso pequeno grupo de dez pessoas se distribui pelas cadeiras, naquela bagunça saudável. Eu me sento ao lado de Luciano. Talita sorri para mim do outro lado da mesa longa e diz que vai se sentar comigo também. Ela está dando a volta toda animada quando um garoto puxa uma cadeira que range alto e atraca no meu outro lado.

— Ei, Léo! — Talita exclama se aproximando de nós. — Eu vou me sentar nesse lugar.

— Você fez reserva? — O tal Léo ri debochando e vira o boné para trás.

— Quero me sentar com minha amiga. Dá o fora — Talita empurra a cabeça do garoto.

Os dois iniciam uma briguinha bem infantil, e ainda estou pensando no quanto foi fofo Talita me chamar de amiga.

— Para de ser chato — Talita reclama com o tal Léo.

— Senta em outro lugar, Tali.

A loira dá um peteleco no ouvido do Léo e sai resmungando para se sentar de frente para mim. Estamos num rodízio, percebo, quando as pizzas começam a chegar até nossa mesa e comemos como esfomeados entre brincadeiras e muitas risadas. Os amigos da igreja do Luciano são muito divertidos e me tratam como se eu já fizesse parte do grupo. Rapidamente me sinto bem-vinda e à vontade.

Estou cortando a quinta fatia de pizza — acho — quando sinto algo cutucar meu braço esquerdo. Viro o queixo sobre o ombro e encontro o garoto, Léo, enfiando um pedaço inteiro de pizza na boca com os dedos melecados de ketchup.

— Eu não conheço você — ele fala mastigando de um jeito ruidoso e lambe os dedos sem cerimônias. — Eu sou o Léo. Qual o seu nome?

É verdade que não nos conhecemos. Ele não estava no grupinho que Talita me apresentou mais cedo. Grupinho esse que se envolve em várias conversas paralelas enquanto respondo baixinho:

— Ahn, eu sou Rochelle, mas pode me chamar de Chér.

— É sua primeira vez na nossa igreja? — Léo quer saber.

— Sim. Luciano me convidou, nós estudamos juntos.

Léo limpa as mãos no guardanapo e depois o arrasta com força na boca.

— Ô, Luciano — chama em voz alta se inclinando para trás na cadeira para encontrar Luciano do meu outro lado. — E você nada de me apresentar as meninas bonitas da sua escola, né, moleque.

Ele fez mesmo esse comentário? Que sem noção. Foco meu pedaço de pizza com o rosto quente. Bebo refrigerante para disfarçar meu embaraço.

— Fica quietinho, Léo — é o que Luciano responde também cortando sua pizza.

— Então... — o Léo torna a me chamar. — Você tem namorado?

— Como é? — engasgo com a pergunta inesperada.

Esse garoto é mesmo sem noção.

Ai, Senhor, me ajuda. Não quero ter de dar um fora nesse garoto e criar um clima estranho, pois pretendo retornar outras vezes à igreja do Luciano. Gostei tanto...

— Qual é, cara — Luciano o repreende atirando uma bolinha de papel sobre minha cabeça que cai no prato vazio do garoto abusado. — Deixa de ser mala, Léo.

— Aff, Leonardo — Talita bufa com seus olhos injetados de censura para Léo.

— Vacilo, hein.

Um garoto, acho que o nome dele é Fabrício, atira um punhado de batatas fritas na direção do Léo. Leila, a namorada dele — ao menos é o que parece, já que vieram abraçados e trocaram um selinho no caminho —, ralha com Léo e todos na mesa começam a zoar o garoto. Merecido.

Constrangida demais para entrar na brincadeira, me entupo de pizza.

— Desculpe pelo Léo — Luciano cochicha. — Ele é bastante inconveniente, mas eu garanto que é gente boa. É sério! — Ele faz questão de afirmar diante da minha expressão descrente. — É o meu melhor amigo, no fundo ele é legal — conta Luciano, e acho que meu olhar abismado é o que o faz rir pelo nariz.

Quero mesmo acreditar.

O restante da noite é leve e regado a diversão. Léo não se torna um problema, e pude ver que ele parece mesmo ser legal, embora suas piadas sejam horríveis. Na hora de pagar nosso rodízio, descubro que o meu foi pago porque todo mundo rachou minha conta. Muito surpresa e um pouco constrangida, escuto Luciano explicar que o grupo tem o costume de pagar o lanche do visitante trazido por um amigo. Tento pagar alguma coisa, mas ninguém deixa. Na verdade, Talita e Gabi me empurram para fora da pizzaria aos risos. Então, sem jeito, mas rindo, agradeço ao pessoal por serem tão gentis.

Quando minha mãe chega para nos buscar, me despeço já querendo estar com eles outra vez.

— 29 —
Inesperado encontro

É segunda de manhã cedo e acho que vou ter um treco.

— Mãe, diz que isso é brincadeira?

Horrorizada, estou segurando o tecido nos dedos sem conseguir acreditar no que minha mãe fez.

— Sinto muito, filha. Essas coisas acontecem.

— Não, mãe! — Tento me controlar. — Olha pra isso!

Indignada, balanço o moletom na frente de seu rosto. Mamãe apenas me lança essa expressão de lamento e continua a passar o café na máquina com tranquilidade, como se meu desespero não fosse digno de sua atenção.

— Mãe! — grito inconformada.

— Rochelle, o que eu posso fazer? — Ela coloca as duas mãos na cintura por cima da camisola.

— Sei lá! — gesticulo me sentindo impotente. — Lavar de novo, colocar outro produto... dá um jeito.

— Meu amor, caiu cloro na roupa. É irreversível. Eu compro outra depois — declara como se fosse simples.

— Não é meu, mãe, esse é o problema! — berro irritada.

— Fale mais baixo que seu pai ainda não levantou. Ele teve insônia ontem.

— E eu com isso? — rebato. Ela me olha de cara feia.

Bato o pé, apertando o tecido do moletom entre os dedos e me perguntando como vou explicar para Luciano que minha mãe derramou cloro em seu casaco. Cloro! O tecido está desbotado. Círculos tortos esbranquiçados cobrem a parte frontal do moletom. Uma verdadeira tragédia.

— Esbarrei no pote do cloro ao pôr as roupas brancas de molho. Foi um acidente, minha filha.

— Como eu vou devolver o casaco do Luciano manchado?

Esperneio, afundando a cara no moletom cheirando a cloro, e solto meus gritinhos raivosos.

— Explica para seu amigo, ele vai entender. Avisa que vamos comprar outro.

Como não havia muito a fazer, e discutir com minha mãe era perda de tempo, largo o moletom no cesto de roupa e saio pisando duro a fim de me aprontar para a escola. Enquanto estou fechando a mochila, meu celular apita em cima da cama. É uma mensagem de Luciano confirmando nosso encontro em frente à antiga locadora.

Ontem, após voltar de minha igreja, ficamos trocando mensagens. Dividi com ele a sensação de não me encaixar mais lá, e Luciano me aconselhou a dizer isso para minha mãe e me convidou para o próximo culto da juventude em sua igreja. Já estou animada, e hoje é apenas o começo da semana. Conversamos tanto que até combinamos de ir juntos à escola.

Assim que termino o café, desço ainda chateada pensando no que dizer para meu amigo. Do meu prédio até a antiga locadora são poucos minutos de caminhada. Eu me distraio com o celular e logo fico animada quando Bruna escreve em nosso grupo:

Bruna: Preparadas para a novidade?

Ontem de noite Bruna escreveu no nosso grupo que tinha uma novidade para contar. Pilar e eu ficamos ávidas por informações, mas nossa amiga disse que só contaria cara a cara. Bruna sabe ser misteriosa quando quer. Envio figurinhas bobas no grupo e guardo o celular na mochila.

Na calçada, avisto Luciano de costas para mim, com as mãos nos bolsos da calça jeans.

Uma expressão travessa brota no meu rosto quando, pé ante pé, eu me aproximo em silêncio e dou um grande susto no garoto.

— Buh! — Pulo na frente dele a tempo de vê-lo estremecer e cambalear para trás. É tão engraçado que me acabo de rir.

— Garota... — ele assobia, balançando a cabeça como se não acreditasse no que fiz.

— Bom dia, Luciano! — desejo toda animada.

— Bom dia — devolve ele sem conseguir esconder o riso. — Vou dar o troco, viu?

— Ah, que ar vingativo é esse em plena manhã? Foi só uma brincadeira. Agora você está bem acordado — pisco brincalhona.

— Quase infartado também — Luciano tem uma mão no peito.

Rimos um para o outro e vamos andando em direção ao colégio. Conversamos sobre várias coisas, e eu não consigo contar que manchei seu moletom. Minha coragem some, me sinto culpada e idiota. Talvez surja uma oportunidade melhor.

Atravessamos os portões do colégio e fico aliviada de ter de adiar a temida notícia. Por falar em notícia, Bruna está me esperando nas escadas da biblioteca com Pilar. Luciano diz um "até logo", me deseja boa prova, gemo em resposta, e o garoto segue para a quadra de basquete com Dinho.

— Até que enfim você chegou — exclama Pilar agitada. — Bruna está me cozinhando aqui.

— Aqui estou eu. Agora desembucha, Bruna — exijo largando a mochila num degrau.

— Estou namorando — minha amiga conta com absurda naturalidade.

É Pilar quem quebra o silêncio soltando um gritinho afetado.

— Dinho finalmente te dobrou? — Pilar pergunta com humor.

Bruna lança um olhar desdenhoso para ela, mas estamos rindo.

— Parabéns amiga! — Vibro dando um abraço nela. — Isso sim é uma supernovidade.

— Obrigada, meninas. Estou feliz — revela sorridente.

— A gente sabe, está escrito nos seus olhos de apaixonada — provoco. Ela empurra meu braço.

— Agora olha só isso — Bruna puxa um fino cordão prateado de dentro da camisa do colégio e nos mostra o pequeno anel que está pendurado ali.

— Quê? — berro pegando no delicado aro prateado. — É um anel de compromisso?

Estou chocada.

— Não! — Pilar está boquiaberta assim como eu. — Dinho te deu um anel? E você aceitou? — Pilar toca a testa de Bruna. — Chér, acho que ela tá febril.

Bruna estapeia a mão de Pilar nos tirando mais risadas gostosas.

Que felicidade!

— Amiga, que lindo, sério. Vocês estão mesmo namorando. — Dou outro abraço nela.

— Tá, tá. Também não precisam celebrar como se fosse meu aniversário. — Bruna ri se desvencilhando dos meus braços. — Vocês são tão bregas.

— Quem está usando um anel de compromisso não sou eu — implica Pilar, estalando a língua nos dentes.

Bruna faz careta de brava, ainda que a sombra de um sorriso dance em seus lábios. Acho que, por mais que queira, não consegue esconder toda essa felicidade vibrante. Seu rosto está todo iluminado.

— Não está no meu dedo — Bruna se defende e guarda o cordão de volta dentro da camisa.

Logo ela que disse que nunca usaria anel de compromisso.

— Verdade, não tá no dedo — concorda Pilar com suas covinhas aparecendo. Ela toca o peito de modo teatral. — Você colocou no coração. É muito mais significativo.

— Muito mais — apoio Pilar também tocando meu peito. — No coração. Que lindo!

— *Aff!* — Bruna está aos risos. — Vocês não vão parar, não?

— Nunca — afirmo com um risinho travesso.

— Agora conta como foi o pedido — Pilar pede curiosa e se pendura no meu ombro.

Compartilho do mesmo entusiasmo.

— Quero saber tudo.

* * *

Queria que meu tempo no colégio se resumisse aos momentos que passo com minhas amigas. Este é um daqueles dias em que lamento não estarmos na mesma turma. Após ouvir metade do relato da Bruna sobre sua saída de ontem e o pedido de namoro, subo para minha classe esperando que todos tenham se esquecido das fofocas da semana passada. Respiro fundo, endireito os ombros e entro na sala. Ou quase entro, porque alguém me segura pelo cotovelo de modo inesperado. Tenho um sobressalto ao virar o pescoço e deparar com Zack atrás de mim.

— Preciso falar com você. — Ele soa firme. Arregalo os olhos.

— Esquece, Zack. Já falei que não temos nada para conversar. — Puxo o braço de volta, irritada.

— Você está achando que é quem? — Sua voz é rouca e baixa. Seus olhos são ameaçadores.

Zack parece com raiva. Fico confusa.

Sorte a minha que o professor de geografia nos interrompe.

— O que está acontecendo aqui, garotada?

— Briguinha de casal — uma colega acusa fazendo pouco caso.

— Não somos um casal — declaro com veemência e numa altura suficiente para todos escutarem.

Procuro uma cadeira na primeira fileira de frente para o quadro e me sento com brusquidão.

O que há com esse garoto? Será que nunca ouviu um não? Virei o quê? Um desafio?

Tiro o material da mochila com tanta raiva que meus livros caem no chão. Alguns colegas me encaram surpresos com meu rompante. Resmungo entre os dentes e ignoro. Segundos depois, uma mão grande espalma a capa do meu caderno e logo a cabeça de Zack invade meu espaço.

Prendo a respiração quando ele abaixa seu rosto no nível do meu.

— Acho bom você falar comigo na hora do intervalo. Tá avisada — Zack praticamente rosna e some, se largando em uma cadeira no fundo da sala.

Um burburinho enche a turma. E eu fico sem entender o que está acontecendo.

As aulas passam e tento ao máximo prestar atenção nas revisões, mas a voz de Zack fica martelando na minha cabeça. À medida que a hora do intervalo se aproxima me dá uma dor de barriga e imploro ao professor para me deixar ir ao banheiro. Liberada — muito a contragosto e só após sussurrar que é uma emergência feminina —, pego minhas folhinhas de revisão para a prova de hoje e saio da sala sob o olhar afiado de Zack. Fico mais embrulhada que antes.

Escolho ir pelas escadas em vez da rampa, saltando pelos degraus.

Quase no primeiro andar eu tropeço. Minhas folhinhas voam para o chão. Paro para tomar fôlego.

Calma, Rochelle, calma. Você está fugindo de quê? Não fez nada de errado.

Zack pode ser insistente, mas não é maluco. Bem, eu acho que não.

Eu me abaixo para pegar os papéis e um barulho me deixa alarmada.

Tento ser mais rápida, mas são dez folhas. Caramba!

Prestes a recolher a última, alguém pisa com força bem em cima dela. Quase caio sentada de tamanho susto.

O que noto primeiro são os tênis pretos da Nike.

Aperto os olhos com pesar porque sei exatamente de quem eles são.

— 30 —
Coração pisoteado

Zack pisoteia a folha e a chuta para um canto qualquer.

— Me deixa em paz, Zack — imploro segurando as folhas e me levantando do chão.

— Eu disse que preciso falar com você. — Ele dedilha o topete loiro parecendo impaciente.

— Ótimo, então fala logo. — Endireito os ombros e ergo o queixo para mostrar coragem.

Posso estar tão nervosa que sinto meu interior tremer, mas não vou demonstrar isso para ele.

— Você perdeu a noção? — Zack pressiona o indicador na lateral da testa para enfatizar.

— Quem perdeu a noção é você, Zack. É você quem está me perseguindo — acuso.

Ele solta um riso debochado.

— Você é mesmo doida.

Eu franzo a testa sem entender por que ele está falando assim comigo.

— Quis falar com você, me explicar... — Zack sacode a cabeça como se recordasse. — Você não quis ouvir, não quis me dar uma chance.

— Explicar? — Minha voz sobe com incredulidade. — Explicar o quê? Que você é um babaca?

Zack trinca os dentes e dá um passo perigoso para perto de mim.

Meu coração dá um tranco. Ando para trás quase caindo no outro lance de escadas.

— A gente ficou, e daí? — dispara ele. Sua expressão é de raiva. — Você foi embora que nem uma bobinha como se eu tivesse te atacado. Coisa de maluca.

Pisco sem acreditar no que estou ouvindo.

— Percebi que você é inocente. Bv, né, o que eu poderia esperar... — Ele ri um som anasalado apertando a ponta do nariz. Meus olhos se agigantam com a revelação de que ele sabia que eu era bv. Zack parece alheio a minha descoberta. — Queria ir mais devagar com você, descobrir o seu ritmo, porque estava a fim de ficarmos mais vezes ... — Zack pausa e balança a cabeça moldando uma expressão fria e indiferente. — Aí você me ignora, beleza. Mas ir falar com a minha mãe sobre o que rolou entre a gente? Gata, você vacilou feio.

Do que ele está falando?

— Não sei do que você está falando — confesso com a mente embaralhada.

Zack disse que falei com a mãe dele? Nem conheço sua mãe.

De onde ele tirou essa história?

— Vai ficar se fazendo de desentendida agora? — Zack cruza os braços parecendo dobrar de tamanho. Seus olhos estão injetados de fúria. — Não vai rolar — e solta um palavrão. Eu me encolho. — Então você é do tipo que conta para a mãe da pessoa com que fica, hein? Só mostra o quanto você é infantil.

Minha boca se abre, mas não consigo dizer nada. Meu silêncio o encoraja a continuar:

— Seu plano tosco deu errado. Você pode ter enchido de bobagem a cabeça da sua mãe, mas a minha confia em mim. Mesmo assim tive que ouvir minha mãe reclamar porque não sei escolher as garotas que eu pego — ele dispara com acidez. — Acontece que não dá pra saber quando as bonitas também são perturbadas.

Seu olhar cobre meu corpo de cima a baixo. É um olhar de puro desprezo.

Quero me encolher.

— Devia ter deixado o Diego tirar seu bv, teria me dado menos dor de cabeça — ele lamenta, esmagando os cabelos entre os dedos. Solta um suspiro decepcionado quando atira: — Por isso eu prefiro as experientes. Elas sabem o que esperar. — Cada palavra dele é como uma farpa entrando no meu coração. Sinto os olhos lacrimejarem. — Acho bom você reverter o que fez.

Seu dedo está quase no meio da minha cara, e as lágrimas escorrem pelo canto dos meus olhos. Limpo com rapidez. Não vou dar ao Zack o prazer de me ver chorar.

— Eu não fiz nada, Zack. — Forço as palavras a saírem firmes. — Você fez e nem percebe o quanto foi errado, o quanto me magoou sua atitude. Não sei o que é pior em você. Me arrependo de ter ficado com você, foi a experiência mais horrível da minha vida. Odeio tudo o que você representa para mim.

Zack dá uma risada desdenhosa.

— Odeia mesmo? — E ameaça se aproximar. — Por que parecia que eu era exatamente o que você queria, não? Você estava bem empolgada para ficar comigo, bem apaixonada pelo que li.

— Chér?

Alguém me chama e surge no fim das escadas bem atrás de Zack.

Encontro Luciano e sinto uma mistura de alívio com humilhação.

— Tudo bem? — Luciano me encara parecendo preocupado e passa por Zack para ficar do meu lado.

— Estamos conversando, Ferreira — Zack conta, raspando os dentes nos lábios. — Estamos bem.

— Perguntei pra ela — é o que Luciano responde, e Zack parece não gostar porque endireita os ombros pronto para rebater.

— Isso é assunto nosso, não é, *Chér*? — Zack fala meu apelido de modo lento e insolente.

Luciano toca meu ombro com cuidado.

— Você está legal? — Seus olhos buscam nos meus a resposta para sua pergunta.

Não, não estou. É o que desejo dizer, mas apenas sacudo a cabeça em negativa.

Meu coração parece uma toalha úmida e pesada.

Zack assovia e transforma o som num riso seco carregado de sarcasmo.

— Agora estou entendendo o lance. Olha, Ferreira, se eu puder dar um conselho de amigo, foge dessa daí porque o que tem de bonita não compensa o quanto é perturbada. — E ri mais um pouco às minhas custas.

— Como é que é?

A voz de Luciano é aguda. Ele ergue uma sobrancelha e endurece o rosto para encarar Zack.

Sinto meu sangue ser drenado das bochechas. Não sou capaz de suportar isso.

Giro nos calcanhares e desço as escadas o mais rápido que consigo.

— 31 —
Odeio o fato de ainda doer

Apenas marcho apressada, sem saber para onde estou indo.

Se Zack comentar alguma coisa com Luciano... se ele contar o que aconteceu entre nós dois... nunca mais vou conseguir olhar na cara do meu amigo. É humilhante demais! Já não basta minha mãe e minhas amigas saberem. Sei que deveria ter permanecido ali para desmentir tudo o que Zack dissesse sobre mim, mas não tenho forças. Mal consegui rebater suas acusações. Me sinto fraca e burra.

Agora estou revoltada. Deveria ter gritado com aquele imbecil.

Que raiva de mim por ser tão boba. Pestanejo para espantar as lágrimas de raiva enquanto vou cruzando o pátio ensolarado. Meus pensamentos parecem fios emaranhados e desencapados.

Quer dizer que Zack sabia que eu era bv?

Como ele descobriu que eu contei sobre o beijo para minha mãe? Como?!

Ele me acusou de ter falado com a mãe dele sobre nós. É um absurdo! Não faz nenhum sentido.

O sinal explode bem no segundo em que cruzo a quadra de basquete. Que maravilha! Em instantes todo mundo vai descer para o intervalo, e não quero encarar ninguém. Preciso de um lugar para me esconder.

Quando entro na biblioteca, o ar frio se choca contra meu rosto quente. A bibliotecária não está por aqui. Caminho para o fundo da sala, bem no fundo mesmo. Sei que há um espaço entre a última estante e a parede. É o lugarzinho onde ficam os livros não etiquetados e estragados. Há uma mesa abarrotada deles, uma cadeira quebrada e uma escadinha de três degraus. É mal iluminado e cheira a livro velho. Espirro, mas não desisto. Me sento no chão, no carpete marrom surrado, com as costas pressionadas na estante. Percebo que ainda estou segurando as folhas de revisão com força. Largo tudo. Puxo os joelhos contra o peito e os abraço tombando a testa nos braços.

Como as coisas foram se tornando cada vez mais complicadas para mim?

Quando mais desejo esquecer minhas escolhas erradas, elas voltam para explodir na minha cara, como que zombando de mim. Algum dia isso tudo ficará para trás?

Estou fungando para segurar a vontade de chorar. Não consigo me controlar por muito tempo, e à medida que fico repassando a conversa com Zack, suas palavras desdenhosas e ferinas, meu coração vai se encolhendo como uma ameixa seca. Permito que as lágrimas caiam sem restrições pelo meu rosto.

"*O que tem de bonita não compensa o quanto é perturbada.*"

Por que Zack disse aquilo? Por que precisou me humilhar depois de ter me machucado tanto? Será que não vê que sua atitude foi desprezível?

Como pude ter gostado tanto tempo de um garoto assim?

Detesto continuar chorando por causa do Zack. Odeio o fato de ainda doer. Queria simplesmente que meu coração ficasse limpo e livre de todas essas dores.

Por que tenho de passar por isso?

Ah, Jesus, por favor, me ajuda a enfrentar esse momento horrível.

Oro para não esmorecer, para o que o amor dele me sustente. E choro, choro por minutos que mais me parecem horas.

Um barulho seguido de um "ai" me coloca em alerta. Ergo a cabeça e noto que não estou mais sozinha. Arrasto a mão rapidamente pelos olhos e tento desfazer a cara de choro, mesmo sabendo que meu rosto deve estar vermelho e inchado.

— Desculpa. — Ouço a voz baixinha de Luciano e sua silhueta se torna visível. — Não quis invadir, eu só...

— Machucou? — questiono vendo-o alisar a canela por cima do jeans.

A iluminação é precária, mas os raios de sol que entram pela janela me fazem enxergá-lo nas sombras.

— Não vi a escada — confessa num sussurro. — Desculpa, Chér.

— Pelo quê?

— Só queria saber se você está bem. Desculpa. — Luciano parece desconfortável.

— Eu... — Me calo e pincelo os dedos por meu rosto para tirar qualquer resquício de lágrimas.

— Você deixou uma folha para trás. — Luciano aponta o polegar para o corredor atrás de si e estende a folhinha para baixo, em minha direção.

— Ah, sim. — Mordisco o lábio sem graça e pego o papel notando parte da pegada de Zack nele. Aperto os olhos, estou muito envergonhada. — Sobre o que aconteceu ainda há pouco, eu...

— Não precisa explicar nada, Chér — Luciano me corta com um gesto de mão. — Vim porque queria me certificar que você está bem.

— Não estou — confesso e logo sacudo a cabeça. — Quer dizer, vou ficar. — Arrisco um sorriso confiante, mas só tenho forças para um daqueles murchos e sem vida. Afasto os joelhos do peito e os mantenho flexionados.

— Posso fazer alguma coisa pra te ajudar, Chér? É só pedir — Luciano oferece atencioso.

— Você consegue apagar o passado ou voltar no tempo? — indago com um riso frouxo.

— Isso eu vou ficar devendo — Luciano alisa a nuca se desculpando com o olhar. Ele se recosta na mesa abarrotada de livros apoiando as mãos na beirada. — Quer ajuda para revisar a matéria de química? — oferece indicando o queixo para a folha na minha mão.

Por alguns segundos eu me esqueci de que, além da prova de geografia, terei de fazer a de química orgânica. Bato a folha contra o rosto soltando um gemido.

— Nem tenho vontade de revisar. Até trouxe as folhas para fazer isso, mas estou sem cabeça agora — suspiro. — Espero não zerar nessa matéria.

— Não vai. Você foi bem na revisão que fizemos na aula de reforço.

— Não sei, Luciano. Em geografia eu me garanto, mas em química... — resmungo outra vez chateada por Zack ter estragado meu dia e atrapalhado meus estudos.

Meu estômago oco reclama de forma audível e abraço minha barriga.

— Você lanchou?

— Tá na cara que não, né? — Minha resposta nos diverte.

O celular vibra no meu bolso traseiro. Checo e vejo mensagens das minhas amigas perguntando onde me enfiei e avisando que estão no refeitório. Respondo que estou na biblioteca para estudar — apesar de não estar estudando coisa nenhuma.

— Quer que eu pegue algo pra você na cantina? — meu amigo oferece.

— Eu vou lá — respondo, e meio segundo depois descarto a ideia porque não quero cruzar com Zack. — Depois da prova eu como alguma coisa.

— Fazer prova com fome não combina, Chér. Vou comprar algo pra você — Luciano insiste.

Acabo cedendo porque estou mesmo fraca e com fome.

— Então tá, obrigada. — Tiro o dinheiro do bolso e estendo para ele. — Aqui.

Luciano faz que não com a cabeça, seus fios longos presos no costumeiro coque baixo.

— Deixa disso. O que você quer comer?

— Para de bobeira, pega o dinheiro. Traz, por favor, uma coxinha e uma *Sprite*.

— Beleza.

— Luciano! — chamo vendo-o me dar as costas e voltar pelo corredor de onde veio.

— Te encontro lá fora.

É tudo o que ele diz ao me deixar sozinha com o dinheiro na mão.

* * *

Após Luciano retornar com meu lanche, nós dois nos sentamos nas escadas laterais — já que é proibido comer na biblioteca —, e enquanto eu como revisamos as questões para a prova. Ele não faz perguntas sobre meu confronto com Zack, o que me deixa grata — ainda envergonhada — por não precisar explicar o óbvio.

Depois do que ele ouviu, é claro que entendeu o que rolou entre mim e o garoto.

Quando o intervalo termina, agradeço ao Luciano por ter sido tão prestativo. Encontramos nossos amigos na subida para a sala e converso por alto com as meninas. Pilar nota que não estou bem e faz pressão para eu contar o que aconteceu, mas prefiro falar sobre o assunto depois.

Zack me dá um olhar mordaz quando me vê entrando na sala. Ignoro, mesmo com o embrulho ruim instalado no estômago. Tento ao máximo esquecer o garoto ao fundo da sala e me concentrar nas questões. Vou bem em geografia e dou meu máximo em química. Na hora da saída, agradeço novamente ao Luciano por toda sua ajuda. Ele tem se mostrado um bom amigo. Eu estava precisando de um assim.

Como ele precisa ir para o treino de futebol, vou sozinha para a aula de reforço com Dinho e os outros colegas. A vontade era ter ido direto para casa, mas preciso correr atrás do prejuízo e estudar. Por causa disso, e porque tia Osana já esperava Pilar e Bruna de carro, não consigo conversar com as meninas sobre o que rolou com Zack. No entanto, Pilar não me deixa quieta até eu lhe contar tudo através de mensagens.

Enquanto Dinho refaz uma questão superdifícil, teclo com as meninas por debaixo da mesa. Descrevo meu embate com Zack. As meninas me escrevem:

Bruna: Amiga, eu tô com tanto ódio daquele diabo loiro que nem sei o que dizer.
Pilar: BABACA
Bruna: Quando chegar na escola amanhã eu vou dar nele.
    Chér, é sério! Ele merece apanhar.
Chér: Eu não sei como ele soube que eu contei para
    minha mãe o que aconteceu. E pior, ele jogou na

minha cara que eu tinha ido falar com a mãe dele. Que bizarro! Por que eu falaria pra mãe dele? Preferia ser engolida pela terra que ter que contar para mais alguém que fiquei com aquele imbecil.

Bruna: Alguma coisa não tá batendo, amiga. Ele sabia que você era bv, pelo que entendi o Diego também sabia, e ele descobriu isso da conversa com sua mãe. Como assim? Muito estranho isso.

Chér: Não sei, Bruh :'(É tão humilhante, sabe.

Chér: Será que eles fizeram aposta para ver quem ficaria comigo primeiro?

Bruna: Chér, é horrível, mas eu não duvido. Esses garotos são baixos.

Chér: Quero sumir.

Pilar: Ai, amiga. Sinto muito, muito mesmo.

Chér: Só queria apagar tudo isso.

Pilar: Amiga, pelo que parece sua mãe deve ter falado com a mãe dele.

Chér: Por que minha mãe faria essa idiotice?

Bruna: Isso faz sentido, Chér.

Pilar: Era o tipo de coisa que minha mãe fazia quando eu era pequena e uma criança me batia.

Chér: Só que eu não sou criança e sei resolver meus problemas. Se minha mãe falou alguma coisa eu vou... nossa, nem sei o que dizer...

Bruna: Pergunta pra ela quando chegar em casa, Chér. Você precisa ter certeza.

É justamente o que vou fazer.

— 32 —
Como ela pôde?

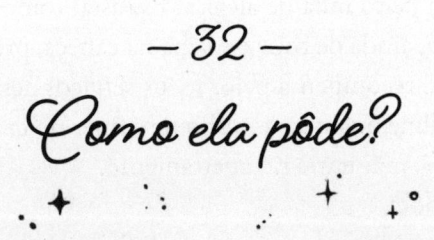

Depois de conversar com minhas amigas, a ideia de minha mãe ter contado do meu beijo com Zack para a mãe do garoto não me saía da cabeça. Quando a aula de reforço enfim acabou, fiz meu caminho para casa com Luciano, mas não consegui prestar atenção em nada do que ele falava. Meus pensamentos estavam a mil, e uma raiva incandescente borbulhava dentro de mim. Enviei uma mensagem para minha mãe. Soube que sairia mais cedo do consultório. Quanto antes ela chegar em casa melhor. Ou pior, no caso.

Se ela contou para a mãe do Zack eu vou... nossa, nem sei o que eu faço.

Sozinha em casa, e após tomar um banho, arranjei alguma coisa para me ocupar. Se eu ficasse parada era capaz de enlouquecer. Assim, coloquei uma playlist animada, arrumei meu quarto, joguei roupas na máquina, encarei o moletom do Luciano e gemi. Precisava contar logo o estrago que minha mãe tinha feito. Fiquei com mais raiva e terminei de organizar a escrivaninha e a bancada do banheiro, e desembolar as roupas que gosto de arremessar dentro do guarda-roupa.

De forma extraordinária e movida pela irritação, consigo arrumar tudo em tempo recorde. Estou impressionada comigo, porque limpar meu quarto costuma ser tarefa de dias, e desta vez finalizei em poucas horas. Sinto o cheiro do desinfetante de limão, e meu peito infla de alegria. Exausta, tomo outro banho e, em seguida, ainda de robe e toalha na cabeça, preparo um brigadeiro como recompensa pelos meus serviços desta tarde. Ligo a tevê num filme qualquer e acabo de comer no exato momento em que minha mãe entra no apartamento.

— Oi, filhota.

Ela está vestida com terninho de linho cinza, o cabelo preso num coque firme. É seu penteado habitual quando está atendendo. Observo enquanto ela larga a bolsa e outras sacolas em cima da mesinha de centro.

Mamãe se inclina para me dar um beijo na testa, dizendo estar cansada, e começa a puxar o salto de bico dos pés. Ela pergunta sobre meu dia no colégio, como me saí nas provas e se fiquei para o reforço, como tinha planejado. Apenas respondo com a cabeça num mais ou menos. Ela diz que minha avó Lourdes vai trazer a janta de hoje, lasanha à bolonhesa, meu prato favorito.

Em seguida, mamãe pede que eu organize a mesa para o jantar. Como não quero esperar mais para confrontá-la, largo o prato de brigadeiro no sofá, tiro a toalha da cabeça e vou seguindo minha mãe, que não para de tagarelar, até seu quarto.

— Mãe, quero falar uma coisa com você.

— Pode ser depois do banho? — Seu rosto parece exausto, mas não me importo.

— Não, tem que ser agora — afirmo largando minha toalha na cama dela.

Minha mãe suspira, revirando sua gaveta de peças íntimas.

— Tira essa toalha daí antes que molhe, filha.

— A senhora comentou com a mãe do Zack que eu fiquei com ele? — disparo a pergunta de uma vez já de braços cruzados, torcendo para ela dizer que não ou me dar seu olhar chocado do tipo *"eu jamais faria isso, minha filha"*.

Ao contrário, ela não diz nada, mas a expressão culpada no seu rosto a dedura.

— Mãe, eu não posso acreditar que você fez mesmo isso! — explodo. — Como pôde?!

— Filha, não foi bem assim. — Seu tom é moderado e tão culpado que faz minha chateação crescer.

— Não foi bem assim? — rebato furiosa. — Você acabou de dizer que fez mesmo isso. Como pode contar algo meu, pessoal, para a mãe do garoto que foi um babaca comigo? Que humilhação! — Esfrego o rosto com as mãos sentindo o sangue ferver sob a pele.

— Rochelle, eu não contei para a mãe dele. Me deixa explicar.

— Explicar o quê? — rosno entredentes — Que você compartilhou um segredo meu com outra pessoa?

— Não, eu não contei para ela, minha filha! — ela altera a voz tocando o peito de maneira nervosa. — Nós tivemos aquela reunião na escola sexta-feira, lembra? A coordenadora disse muitas coisas e mencionou a questão das trocas constantes de parceiros dentro da escola, essa coisa dos alunos ficarem um com os outros, namoros, brigas, e houve debates sobre isso e uma mãe, que eu nem conhecia, falou um monte de asneira. Quando soube que era a mãe daquele menino eu...

— Você o quê? — atiro impaciente. Mamãe parece tentar escolher suas palavras.

— Fiquei com tanta indignação por ela ter criado o filho daquele jeito que no final da reunião eu a chamei de canto para conversar e tentar fazê-la entender que o filho dela não podia tratar as garotas daquela maneira tão desrespeitosa e...

— Você não tinha que falar nada sobre mim, nada! — eu a corto bruscamente. — Nem tinha que falar com a mãe dele, mãe! Você sabe o quanto isso foi errado? Confiei em você, e você foi lá e contou toda a situação para a mãe do garoto! E ainda tentou passar um sermão para ela! Sabe o tamanho do problema que me arranjou?

— Que problema? — Sua testa enruga com preocupação.

— Um que não é da sua conta, mãe! — grito tão fora de mim que se eu ficar mais um minuto sequer com ela enlouqueço de tanta raiva. Puxo o fôlego na tentativa inútil de me controlar.

— Filha — sua voz aflita e o rosto abatido não me abalam. — Me deixa explicar, eu não contei pra ela.

— Que diferença faz?! — Jogo as mãos para o ar. — Pra mim, nenhuma. Você não tinha o direito, mãe. Sabe o quanto essa situação é humilhante? Eu... ah! — Trinco os dentes apertando as unhas contra minhas palmas. As lágrimas me traem embaçando minha visão. — Só fica fora dos meus assuntos!

— Filha, por favor — ela implora, e eu apenas saio do quarto como uma flecha.

— Me deixa sozinha! — grito correndo para meu quarto.

Me atiro na cama para permitir que meu choro corra sem impedimentos.

Como minha mãe pôde fazer isso comigo?

Nem sei quanto tempo fico intocada remoendo tudo o que mamãe fez, quase sufocando com o aperto no peito. Precisando desabafar, troco mensagens com minhas amigas, que me dão toda a razão por estar chateada. Permaneço escondida até vó Lourdes chegar para o jantar. Por mim, teria ficado no quarto, mas meu pai soca a porta exigindo que eu saia.

— Não se pode ter um pouco de paz e privacidade nessa casa? — reclamo indo a passos duros para a sala.

Encontro vovó depositando o refratário de lasanha na mesa. O cheiro de muçarela assada me faz salivar. Posso estar chateada, como nunca estive antes, mas minha fome permanece intacta.

Vó Lourdes me brinda com um beijinho estalado na bochecha que eu retribuo. Meu pai vem pelo corredor em seus shorts havaianos ridículos e camisa velha segurando uma Coca-Cola gelada. Sorri cheio de alegria e circula meus ombros para beijar o topo da minha cabeça.

Me esquivo já tirando meu pedaço de comida.

— Espere sua mãe para comermos.

Até parece.

Lançando um olhar indiferente, quico os ombros e ameaço retornar para o quarto com o prato em mãos quando seu braço me detém.

— Senta para comermos juntos.

— Pai, olha, não estou legal hoje e quero ficar sozinha.

— O que houve? — pergunta ele, e minha mãe surge de cabelos úmidos em um vestido floral.

Estalo a língua nos dentes e desvio o olhar.

— Como se você já não soubesse, né? — jogo de volta para ele.

— Filha... — mamãe tenta e nem deixo que ela fale algo.

— Você não contou pra todo mundo? — minha voz se altera.

— Contou o quê? — meu pai quer saber, intercalando seu olhar entre mim e a esposa.

— Vou para o meu quarto — aviso com a cara emburrada.

— Deixa, Luís — minha mãe pede com um gesto de mão e um olhar de pesar.

— O que aconteceu? — papai coça a barba esbranquiçada no queixo assumindo uma expressão confusa.

— Brigamos — revelo, não querendo ser interrogada. — Agora posso voltar para o meu quarto?

Papai parece incerto, ainda alternando os olhos atentos entre nós duas. Um silêncio incômodo se instala. Só quero dar o fora e comer em paz.

— Vamos jantar porque hoje eu caprichei nessa lasanha — vó Lourdes tenta quebrar o clima tenso. — Senta para comer comigo, meu bem. — Ela me encara com carinho. — Senti sua falta esses dias. Nem parece que moramos perto.

Meus ombros cedem. Mesmo sem vontade, eu me sento, apenas por minha avó.

— Estou em prova na escola, vó. Estudando muito — conto entre garfadas da lasanha.

Durante o jantar, vovó e meu pai são os responsáveis por não deixar o clima pesado e azedo dominar o ambiente. Quando acabo de comer, pergunto à vovó se posso ir para a casa dela. Seu rosto é tomado de alegria. Sei quanto ela gosta quando ficamos juntas. Faz tempo que não durmo lá e, sendo honesta, desta vez quero ir somente para ficar longe de minha mãe. Todos na mesa sabem disso, mas vovó parece não se importar que eu use sua casa como válvula de escape. Afinal, não é para isso que serve a casa dos avós?

Meu pai reclama um pouco, talvez por estar meio perdido na história, mas sei que minha mãe vai contar o que aconteceu, como a boa reveladora de segredos que é. Se é que ele já não sabe do meu beijo com Zack. Escolho não deixar meus pensamentos irem por esse caminho a fim de manter a tranquilidade recém-adquirida após me alimentar da deliciosa lasanha de vovó.

Minha mãe não se opõe a meu desejo de dormir na vovó. O que há para ela dizer? Nada. Proibir que eu vá só pioraria as coisas. Assim, coloco mudas de roupas, o uniforme da escola e outras coisas numa bolsa grande. Carrego a mochila do colégio e desço os poucos lances de escadas com vovó para seu apartamento.

Ao menos vou poder enfrentar os próximos dias sem ter o desprazer de cruzar com mamãe.

— 33 —
Preocupações

— Você vai para casa hoje, meu bem? — vovó quer saber, na manhã de sexta-feira, enquanto entorna o café fumegante em sua xícara de porcelana chique. Através da cortina branca e fina, que balança com um ventinho fresco, enxergo o céu mesclado de cinza e azul. Queria não ter levantado tão cedo. Não fossem as últimas provas no colégio, ficaria dormindo. Solto um bocejo e me espreguiço apreciando o cheirinho gostoso do bolo de banana que vovó assou.

— Não sei, vó — respondo bocejando outra vez e corto mais uma fatia do bolo. — Já está me expulsando, é? — brinco, sentindo o sabor da banana caramelada explodir na língua. Que delícia. Tudo o que vovó cozinha é saboroso.

— Sabe que não, Rochelle. Adoro ter você comigo — ela responde, e seus olhos verdes, como os meus, brilham de emoção. Devolvo um sorriso largo.

Faz três maravilhosos dias que estou aqui com ela. Amo vir para cá. Durmo muito, como bem e não sou importunada. Nem a louça preciso lavar. É o paraíso! Sem contar quanto vovó é animada e divertida. Adora me agradar e passar tempo de qualidade comigo. Toda noite assistimos a filmes românticos antigos, uma tradição nossa. São esses momentos com ela durante esta semana exaustiva que têm me ajudado a relaxar. As provas, a briga com minha mãe, a questão com Zack, tudo isso me estressou muito.

 Minha mãe até agora tem respeitado meu espaço, por mais estranho que isso seja. Ainda não está exigindo que eu volte para casa como faz meu pai, o carente, que além de me encher de mensagens vem toda noite à casa de vovó ver como estou. Mamãe apenas me manda curtas mensagens de *"bom dia"*, *"se cuida"*, *"te amo"*, *"boa prova"*, *"Deus te abençoe"*. Estou bem chateada com minha mãe, e o fato de ela não estar me pressionando é o mínimo que ela pode fazer.

— Termina o café que eu te deixo na escola — vovó sugere erguendo-se da mesa.

— Não precisa vó, eu vou com um colega — descarto sua carona e bebo meu achocolatado morno.

— Dou carona para ele também.

Quico os ombros aceitando a oferta e envio uma mensagem para Luciano no exato segundo em que recebo uma de Talita.

> Talita: Oi, Chér. Bom dia! Dormiu bem? Espero que seu dia seja lindo e abençoado.

Um pequeno sorriso surge no canto dos meus lábios.

Talita tem um jeito bem espoleta que me lembra bastante Pilar. Foi muito bom a ter conhecido melhor na última sexta. Por esses dias temos trocado mensagens, e ela até me convidou para uma social do pessoal de sua igreja no sábado na casa do Luciano, que reforçou o convite. Metade de mim quer ir, enquanto a outra anda bem desanimada por causa desta semana horrível.

Uma mensagem pipoca na tela.

> Talita: Decidiu se vai no sábado? Diz que sim, por favor.

Escrevo de volta:

Chér: Oi, Talita! Bom dia! Obrigada. Que você tenha um dia lindo tbm :) Sobre sábado, ainda não sei se vou, mas eu quero.
Talita: Ué, então vai sim. Garanto que vai ser legal. Podemos ir juntas, que tal? Diz que simmm! Estou implorando, hein.

Belisco o interior da bochecha e penso por alguns segundos. Talvez seja bom respirar novos ares e me divertir um pouco.

Chér: Tá! Eu vou kkkk, você me convenceu.
Talita: Essa era a ideia, rs. Vai rolar piscina. Luciano ficou de limpar hoje. Então é legal você levar roupa pra trocar. Estou tão animada porque você vai, Chér!

Piscina com um monte de gente com quem não tenho intimidade? Nem pensar.

Respondo a Talita que vou levar roupas, mesmo que não tenha a menor intenção de ir para a piscina.

* * *

Atravesso os portões da escola com Luciano ao meu lado, como de costume. Perto da quadra de basquete, ele se despede para jogar uma partida antes que as aulas comecem. Aceno em resposta e logo endureço a postura quando avisto Zack vir em minha direção com mais dois amigos, um deles o Diego. Ergo o queixo e ajeito a alça da mochila no ombro, fixando o olhar num ponto qualquer atrás deles.

Assim que me vê, Zack molda a expressão indiferente dos últimos dias. Seus frios olhos azuis me analisam por meros segundos e, em seguida, o costumeiro olhar de desprezo me atinge como se eu não valesse muita coisa. Meu peito aperta com a sensação ruim que me acompanha desde aquela manhã nas escadas com o garoto. Zack não falou mais comigo, mas se comunica com olhares hostis e risadinhas idiotas, como a que está soltando agora ao passar por mim.

Aposto que ele contou para os amigos o que rolou entre nós, ou pelo menos contou sua versão distorcida dos fatos. Sabe-se lá o que inventou a meu respeito. Esse pensamento me cozinha por dentro. Queria poder me defender, gritar com aquele imbecil e revelar a verdade para todos. No entanto, prefiro permanecer quieta e não criar mais tensão e problemas para mim mesma. Zack é um dos queridinhos do colégio. Seria a palavra dele contra a minha, e quem levaria a sério uma garota que foi só mais uma tentando conquistar o garoto mais bonito do colégio? Isso mesmo, ninguém.

Encontro Bruna e Pilar em uma mesa no refeitório um pouco vazio esta manhã.

— Que cara é essa? — Bruna indaga quando me sento.

— Nada — desconverso.

Não aguento mais falar sobre Zack. E pensar que há poucas semanas eu me dizia loucamente apaixonada por ele. Como pude me encantar com aquele garoto? Fantasiei tantas coisas com ele... que estúpida eu fui.

— Foi o Zack, não foi? — é Pilar quem deduz com tom deprimido.

Aceno em resposta, mas logo peço:

— Vamos falar de outra coisa, tá bem?

Pilar assente com o semblante tristonho e faz um carinho no meu ombro.

— Pilar e eu estávamos conversando sobre nossa viagem — comenta Bruna com empolgação na voz e no rosto. Ela solta os cabelos aloirados para prendê-los de novo num rabo de cavalo.

— Precisamos comprar biquínis novos. Protetor solar, bronzeador, cangas, bolsa de praia... Já fez a lista do que você não tem, amiga? Levando em conta que você não gosta de pegar sol, praia, piscina e tal, você não deve ter nada. Ai! — ela reclama porque dei um beliscão em seu braço.

— Que vacilo, Bruh. Tenho tudo isso aí que você falou — me defendo. — O protetor deve estar vencido, mas compro outro na farmácia. Mês passado minha mãe comprou uns biquínis e maiôs pra mim. São lindos e ficaram ótimos. Talvez eu tenha que comprar itens de higiene e só.

— Cadê sua lista? — Bruna pede, e eu tombo a cabeça para o lado, pensativa. Droga! Não fiz lista. — Não fez ainda, Chér? — ela pressiona.

Empurro seu ombro com um rosnado nada intimidador.

— Você é muito controladora, amiga. Calma. Faltam algumas semanas ainda. Teremos mais provas até entrarmos de férias. Vai dar certo.

Finjo um otimismo que não tenho. Teria dado certo se eu tivesse estudado em vez de orbitar em torno do Zack. Pensei nele de novo. Aff.

— Preciso gabaritar as últimas provas — comento com um gemido.

— Você disse que foi bem esta semana — aponta Bruna.

— Fui — confirmo. — Fiquei até impressionada, mas as próximas provas serão decisivas.

— Não estou contando com a possibilidade de você não ir, Chér — Bruna estala os lábios nos dentes, chateada, me lançando um olhar incisivo. — Ai de você se não for com a gente depois de ficarmos meses esperando essa viagem!

E me aponta um dedo no nariz. Espanto sua mão.

— Estou dando meu máximo, Bruh — rebato torcendo o cabelo para um lado do pescoço. — Sabe quantas horas estou estudando por dia? Quanto tempo passei na biblioteca com a turma do reforço?

— Se tivesse feito isso antes, não estaria com a corda no pescoço agora — acusa ela.

— Ah, não — reclamo sem paciência. — Não vai bancar meu pai, pelo amor! Minha semana já está difícil. Não preciso de minhas amigas me dando sermão. Já passamos dessa fase, certo?

— Só vamos passar dessa fase quando estivermos em Búzios aproveitando nossas férias.

Bruna abre um sorriso ácido e busca seu celular esquecido na mesa. Seus lábios encrespados num bico e as narinas inflamadas me dizem que ela está muito chateada.

Poxa! Eu também estou, afinal sou eu quem vai ficar de recuperação nas férias e perder a viagem com minhas amigas. Ninguém está mais chateada comigo do que eu mesma. Sei que fui relapsa no início do ano com os estudos e não levei em conta como isso colocaria nossa viagem em perigo. Agora estou me esforçando para não ficar de recuperação. Espero conseguir, mesmo com toda a improbabilidade de gabaritar algumas provas. O mínimo que espero de Bruna é que ela seja um pouquinho mais compreensiva.

Dinho se aproxima de nós, e Bruna muda seu ar de chateação para o de apaixonada. O garoto arrasta uma cadeira e se senta ao lado da namorada, circulando seus ombros e trazendo-a para mais perto de si. Os dois engatam uma conversa baixa e cheia de risinhos. Fico grata ao Dinho por redirecionar o foco de Bruna ou eu acabaria esmagada pela fúria de minha amiga esquentadinha.

Pilar não dá um pio. Continua quieta com a bochecha colada no tampo da mesa e os cabelos castanhos derramados sobre os braços. Ela tem estado dessa forma, calada e pra baixo, desde que acabou seu lance com Vicente na terça-feira. Minha amiga não contou por que terminou, o que achei estranho, já que Pilar sempre revela tudo. Disse apenas que ele se mostrou um idiota e que não daria certo. Preferi não pressionar, mesmo curiosa. Se Pilar quiser compartilhar, ela vai.

Faço um cafuné em seus fios lisos, encaixando uma mecha rosa atrás de sua orelha. Pilar aperta os olhos como se sentisse dor. Sei que ela está mal pelo término com o Vicente, e vê-la tristinha me deixa pra baixo também.

— Amiga — Pilar segura meu cotovelo quando o sinal explode anunciando o primeiro tempo de aula. — Você pode conversar comigo na hora do intervalo? — ela pede baixinho com um olhar melancólico.

— Claro, amiga.

Mostro um sorriso compreensivo e subimos para nossas salas.

— 34 —
Decepção

— Chér, eu nem sei por onde começar.

Pilar fala com o rosto contorcido e trocando o peso nos pés.

Viemos as duas para as escadas laterais da biblioteca, já que nossos amigos estão nas principais. Esse lugar é pouco usado pelos alunos, e é mais frio porque não bate sol pela manhã e vive repleto de folhas amareladas da amendoeira próxima. Pilar parece desconfortável, retorcendo as mãos uma na outra sem tirar os olhos do chão cinza. Sei que ela está nervosa. Poucas vezes vi minha amiga desse jeito.

Começo a ficar preocupada imaginando o que rolou entre ela e Vicente.

— O que houve, amiga?

— Eu... o Vicente... — Ela morde o lábio inferior, se calando.

— Anda, Pilar, me conta. O que ele fez? — insisto agitada.

— É minha culpa — dispara ainda sem me encarar. — O Zack ter descoberto que você era bv e tudo isso... — Gesticula de maneira vaga. Vinco as sobrancelhas, não entendendo do que ela está falando. Pilar nota minha confusão porque suspira fundo.

— Sem querer eu tirei um print de uma de nossas conversas e compartilhei com o Vicente.

— Quê?! — Tento assimilar o que ela acabou de revelar

O pescoço de Pilar sobe e desce quando conta:

— Foi um dia em que eu estava conversando com vocês no nosso grupo, com o Vicente e também no grupo da família, tudo ao mesmo tempo. Tirei prints do barraco da família para enviar ao Vicente, aí sem querer acabei tirando um print de uma de nossas conversas, em que você falava sobre gostar do Zack e querer perder o bv com ele. — Pilar fica sem fôlego e bagunça os cabelos, aflita. — Enviei para o Vicente e... — ela hesita sem me encarar.

Meus cílios quase tocam minhas sobrancelhas quando percebo o que ela quis dizer.

— Como assim você mandou o print para o Vicente, Pilar?

Encaro minha amiga com absoluto horror.

— Desculpa, Chér, desculpa de verdade, amiga. Não fiz de propósito, jamais faria isso, por favor, acredite em mim — ela implora com as mãos me fitando com remorso refletido nas íris cor de chocolate. — Apaguei o print logo que vi que tinha enviado para o endereço errado. Vicente fingiu que não tinha visto, mas aquele idiota mostrou para o Zack. Perguntei para o Vicente na segunda e ele nem tentou mentir.

— Mas que droga, Pilar! — grito sentindo o peso de sua confissão se abater sobre mim como uma chuva torrencial.

— Me perdoa amiga, por favor, me perdoa.

Primeiro minha mãe, agora minha melhor amiga me dando uma facada dessas.

O que eu fiz para merecer isso?

Urro escondendo meu rosto nas mãos.

— Foi minha culpa, só minha. Me perdoa, Chér — Pilar torna a implorar com urgência na voz. — Você é minha melhor amiga, eu jamais faria isso com você, jamais. Foi um acidente. Por favor, acredita em mim. Diz que me perdoa, amiga.

Estou numa mistura de emoções. Chateada e também decepcionada. Diferentemente da raiva que tive de minha mãe e a vontade de gritar até ficar sem voz, com Pilar eu só me sinto... cansada demais para brigar. Sei que Pilar não faria isso de propósito. Sempre trocamos segredos, coisas que Bruna não sabe. Somos leais uma à outra. Mas isso foi... decepcionante.

— Por que você não me contou logo que enviou a foto, Pilar? — pergunto com a voz arrastada.

— Pensei que ele não tinha visto e, como excluí a foto, deixei o assunto de lado. Não queria incomodar você, Chér. Eu só... — Pilar funga, o nariz vermelho e os olhos úmidos. — Cometi um erro terrível. Pensei que tivesse consertado, mas não. Quando você falou do que Zack disse eu me lembrei do print e soube na hora que tinha sido o Vicente.

— Devia ter me contado... — comento com o coração pesado e dolorido. — Você é minha amiga.

— Eu sei — ela sussurra com a voz embargada. — Só não soube como contar e fiquei com vergonha e medo de você não querer mais falar comigo. Não posso suportar você não ser mais minha amiga, Chér. — Pilar está chorando. Eu desvio o olhar para o lado amarrando os braços no peito. — Por favor, Chér, me perdoa — suplica outra vez.

— Estou bem chateada com você, Pilar — é o que digo com a voz magoada.

— Chér... — a voz de Pilar quebra em um soluço profundo.

— Me deixa digerir isso tudo, tá? — Agito os braços me sentindo impotente. — Essa semana está uma droga! — A palavra explode na minha boca. — Me sinto num *loop* infinito de dor, humilhação e decepção. — Chuto uma montanha de folhas amareladas, que se rodopiam entre mim e Pilar. — Que ódio de toda essa situação desgastante. Nunca me senti tão ferida, tão chateada, tão decepcionada, furiosa e burra! E tudo por quê? Por causa de um garoto que não vale um suspiro meu! Estou cansada de tudo... — desabafo em desespero, abrindo os braços para abranger tudo ao mesmo tempo que não seguro nada, com o bolo do choro implorando passagem na garganta.

Ah, não, eu não vou chorar também.

— Amiga, eu... me perdoa. — Pilar está chorando muito, tanto que mal consigo encará-la.

Não posso lidar com isso agora.

Sacudo a cabeça e giro nos calcanhares para sair daqui.

— Chér! — ela me grita, mas não me incomodo em ficar.

Deixo minha amiga sozinha enquanto procuro esconder as lágrimas que se rebelam contra mim.

— 35 —
Mágoas e uma tarde diferente

Por que prometi a Talita que iria àquele encontro? Por que marquei um compromisso sabendo que depois vou me arrepender de ter dito sim? Seria tão mais fácil dizer não e me poupar de toda essa guerra dentro de mim quando tenho de sair de casa.

Expulso o ar com força dos pulmões encarando meu esquisito reflexo no espelho do quarto. Os cachos que defini ontem já estão desfeitos. Parece que rolei a cabeça no travesseiro a noite inteira. Sem contar a cara amassada e inchada de ter permanecido embolada na cama desde que voltei do colégio ontem. Nem banho tomei ainda. Deplorável seria a melhor palavra para me descrever neste momento, em calça de moletom surrado e blusa velha dois tamanhos maiores que o meu. Um reflexo de meu apático estado de espírito.

Deixei a casa de vovó. Foi meio impensado. A confissão da Pilar me deixou tão sem rumo e desanimada que, em vez de ir para a casa de vó Lourdes após o colégio, vim direto para minha casa. Meus pais se surpreenderam ao chegar do trabalho e me ver aqui. Não senti necessidade de explicar, mesmo com minha mãe toda animada com o meu retorno, talvez porque para ela signifique que estamos bem — o que não é o caso. Com o tempo ela vai perceber. Não sei como pode imaginar que simplesmente esqueci o que ela fez.

Meu celular apita e o ignoro por alguns minutos, enquanto reúno coragem para procurar uma roupa decente. Talvez seja Pilar de novo. Ela tem me enviado longos textos e áudios. Leio e ouço tudo, apenas não quero responder. Não estou dando um gelo nela de propósito. Quer dizer, mais ou menos. De fato não quero conversar sobre nada com ela. Estou magoada e quero que Pilar entenda isso. No fundo, sei que ela não fez por mal, mas um estrago foi feito. Ela devia ter me contado do print. É claro que eu teria pirado, mas com certeza seria melhor que ter escondido de mim.

Por culpa do que ela fez — ainda que sem querer — Zack descobriu que eu era bv e que tinha uma queda por ele. E aposto que o print rolou por vários grupos. É inevitável não pensar nisso, no quanto todos devem ter rido às minhas custas. A ideia faz que eu me encolha. Essa ardência no coração umedece meus olhos e me obriga a fungar para espantar a vontade de chorar. Tenho resistido a me deixar levar pela tristeza que paira sobre mim como uma nuvem carregada, tão densa que a qualquer momento pode desabar.

— Posso entrar? — é a voz melodiosa da minha mãe seguida de duas batidinhas na porta.

Faço um bico com os lábios e digo que estou ocupada.

— Certo. Seu café da manhã está esfriando, filhota. Comprei o sonho de doce de leite de que você gosta.

Como se isso fosse me comprar... bato os cílios com preguiça.

— Já falei que vou sair, mãe — declaro de volta. — Não estou com fome.

Algo raro, por sinal.

— Tá bem. — Escuto seu suspiro pesado do outro lado da porta. — Vou guardar o sonho para você.

— Tanto faz. — Moldo uma careta.

Minha falta de interesse parece afastá-la. Ouço seus passos arrastados no corredor.

Uma nova notificação faz meu celular tremer em alguma dobra do edredom.

Resmungo e decido ver o que ou quem é. Avisto o nome de Luciano perguntando se quero que ele me busque. Escrevo que não, porque é perto daqui e vou com Talita e Thabata. E, por falar nelas, uma mensagem de Talita surge, o que me deixa agitada porque ainda estou num estado deplorável. Começo a correr feito louca pelo quarto para me aprontar.

Quase uma hora depois, estou atrasada. Nenhuma novidade. Desço os lances das escadas pulando de degrau em degrau. Aterrisso ofegante e suada na entrada no prédio, o ponto de encontro com as meninas. As duas estão na calçada de costas para mim. Thabata usa short jeans desfiado nas coxas torneadas e uma blusa tomara que caia vermelha que abraça sua cintura fina. O rabo de cavalo proeminente é bonito e chama atenção, ainda mais porque os raios solares se derramam neles.

Talita trançou os fios loiros e opacos que caem como um longo rabo de peixe no meio de costas. Está em um vestido largo e floral na altura nos joelhos. Dou uma rápida olhadela para meu look improvisado e me sinto ridícula em shorts pretos quase cinzas de tão velhos e essa regata branca sem graça. Além disso, por desânimo apenas prendi os cabelos num desleixado rabo de cavalo sobre a nuca. Que vontade de correr escadas acima e avisar que tive um imprevisto e não poderei ir com elas. Que tal cólicas? Uma desculpa infalível para qualquer garota.

— Chér!

Minhas ideias murcham quando Talita me vê e acena com um sorriso rasgando-se em seu rosto de porcelana. Agora não tenho para onde fugir. Terei de ir nesse estado ridículo em que me encontro.

— Ei! — aceno tímida de volta e atravesso as grades do prédio. Logo os braços finos de Talita circulam meus ombros. Seu abraço apertado me pega desprevenida. Talita me espreme com tanto carinho que parece que somos melhores amigas desde sempre. Mostro um pequeno sorriso e devolvo o abraço.

— Estou tão feliz que você vai estar com a gente hoje — vibra ela ao se afastar de mim.

— Será que podemos ir andando? — dispara Thabata sem esconder seu tom aborrecido. — Estamos atrasadas. — E estreita seus olhos para mim como se dissesse *"por sua culpa"*. — Luciano acabou de avisar que praticamente todo mundo já chegou, menos nós. Ele disse que o Lelei colocou a carne para assar. É melhor irmos ou vamos ficar sem nada.

Thabata lidera o caminho apressada. Talita e eu ficamos atrás dela de braços dados e conversando. É tão prazeroso papear com Talita que me esqueço da irritação de mais cedo. Contamos um pouco sobre o período escolar de provas. Talita está no segundo ano do ensino médio, como Luciano. Descubro que ela sofre como eu com a falta de neurônios para exatas e que nosso amigo em comum, apesar de estudar em outro colégio, vive ajudando a loira com as matérias. É bom encontrar um semelhante.

Sem nos darmos conta disso, a casa de Luciano aparece após virarmos em uma das esquinas próximas da antiga locadora. A casa é grande, de dois andares, as paredes pintadas de verde--água e os portões de madeira escura como as janelas frontais. Thabata larga o dedo no interfone enquanto esperamos na calçada sob o sol em pico no início da tarde. Uma sensação gélida se espalha pela minha barriga, a despeito do calor da tarde.

Apesar de já ter saído para comer com alguns amigos de Talita e Luciano, não conheço a maioria dos jovens, e isso me deixa inquieta. Saber que a casa é de Luciano alivia um pouco a tensão. E é justamente ele quem abre a porta. O garoto que só vejo de uniforme escolar — ou do time de futebol — usa uma camisa preta molhada e colada no peito e uma bermuda laranja do tipo surf encharcada que escorre água pelas pernas e os pés descalços. Parece que acabou de sair da piscina.

— Diz que a carne não acabou? — é o que Thabata pede entrando de vez na casa do amigo, estalando um beijo rápido no rosto dele e sumindo para dentro.

— Cara, eu falei pra ela que o Lelei acabou de colocar para assar — Luciano ri, sacudindo a cabeça e escancarando mais a porta para entrarmos. — Não deve ter nem dez minutos.

— É churrasco, Lu — Talita pontua como se explicasse a pressa da irmã. — E ela foi a última a chegar. — Ela dá uma risadinha e Luciano revira os olhos. Talita para perto do amigo e remexe nos fios soltos grudados ao redor do rosto dele. — Achei que iria cortar hoje.

— Disse que eu queria, Talita, não que iria, tem uma diferença. E meu pai tocou no assunto, daquele jeito — ele conta trocando um olhar significativo com Talita. — Aí resolvi adiar o corte.

— Bancando o rebelde, Lu? Não faz seu estilo — brincou Talita.

— Não é isso, você sabe. Só não quero que ele leve os créditos por uma decisão minha, então... — Luciano deixa a frase morrer e seus olhos pousam em mim. As írises castanhas meio esverdeados ganham um brilho animado. — Oi, Chér. Entra aí. — E me chama com uma mão.

Entro desajeitada.

— Oi, Luciano — saúdo mostrando um breve sorriso sem dentes.

Luciano se inclina para beijar minha bochecha esquerda com rapidez. Gotículas de seus cabelos caem no meu ombro, mas não digo nada.

— A visitante ilustre da reunião — Luciano ergue as sobrancelhas me lançando uma piscadela divertida.

Tento dar um sorriso, que mais se assemelha a uma careta de dor de barriga.

— Por favor, me diz que vocês não vão cantar "visitante seja bem-vindo"? — arrisco uma piada.

Luciano solta um riso engraçado e encosta o portão.

— Não tinha pensado nisso, mas agora que você deu a ideia, não podemos descartar. — Talita ri também e pega no meu braço outra vez. — É brincadeira, Chér.

— Espero que seja, porque eu vou desmaiar de vergonha. É sério — aviso já sentindo a barriga tremer, e é desse jeito que Talita me reboca pelo cotovelo.

— 36 —
Diversão entre amigos

Talita sabe para onde ir. Em vez de seguir em direção à varanda da entrada, ela nos guia pela garagem, à direita, rumo aos fundos. Daqui já é possível ouvir risadas, música e gritinhos. Há também esse aroma inconfundível de carne na brasa. Desta vez meu estômago se agita cheio de expectativas. Com mais alguns passos, driblando as poças pelo piso, avisto a piscina. É maior do que eu esperava. Iluminada pelo sol, está repleta de boias grandes, os famosos espaguetes de piscina e, é claro, pessoas mergulhando e brincando na água.

Desvio o olhar para captar o restante do pessoal na área da churrasqueira. Respiro fundo, surpresa. Luciano falou que viriam alguns jovens de sua igreja, mas eu não imaginava que fossem tantos assim. Aliás, ele explicou que a juventude lá é segmentada por idade. Então deduzo que esse grupo só tenha adolescentes de quinze a dezoito anos.

— Olha só quem está aqui.

Aquele garoto que conheci no culto, o Léo, força os braços para fora da piscina e se ergue para sair tão logo me vê chegar. Ele se materializa na minha frente e de Talita, encharcado, e dedilha as mãos pelos cabelos respingando gotas geladas em nós duas.

— Léo! — Talita se aborrece e eu também, lógico. O garoto mantém um sorriso brincalhão nos lábios.

— Recepção de boas-vindas — ele se justifica, o que me dá vontade de revirar os olhos. Garoto chato.

— Recepção de um mané — ralha Talita, limpando os braços. Faço o mesmo.

— Passe livre para empurrão.

Luciano enfia a mão no ombro do Léo e o empurra para trás. O garoto cai de costas na piscina com um barulho alto, espirrando água para todos os lados. O pessoal que já estava dentro da piscina cai na risada, e eu não escondo meu próprio sorriso satisfeito. Queda merecida. O tal Léo emerge, cuspindo água aos risos.

— Oi, novata — ele me lança uma piscadela marota, que me obriga a revelar uma de minhas caretas. — Foi só brincadeira, tá? Eu sou uma pessoa muito bacana.

— Eis a arrogância de um mentiroso. — Uma garota de curtos cabelos ruivos, óculos de sol encaixados no nariz e trajando uma saída de praia branca se aproxima de mim. É a Leila, me lembro. Ela me cumprimenta com gentileza, se desculpa pelo "*tapado*" do Léo e por se esquecer do meu nome.

— É Rochelle, mas pode me chamar de Chér — digo encaixando os polegares nos bolsos traseiros do short.

— Rochelle tipo a mãe do Chris? — O namorado dela, cujo nome também não lembro, se junta a nós com um copo de refrigerante na mão.

Estreito os olhos me perguntando quem é a mãe do Chris.

— É verdade, Fabrício! — O Léo assobia de dentro da piscina, com os braços descansados na borda ensopada.

— Hum, não sei quem é — respondo com um gesto de ombros me desculpando por não compreender.

Fabrício me encara abismado.

— Você não conhece *Todo mundo odeia o Chris*? — pergunta, e eu apenas faço que não. — É uma das séries mais famosas, pô. Aposto que seu nome veio de lá.

— Nunca vi essa série — confesso raspando os dentes por meu lábio inferior cheio de gloss.

— É antiga, mas é muito engraçada. Eu vejo de vez em quando — comenta Fabrício, e Leila sacode a cabeça em desaprovação pelo gosto do namorado.

Me sinto na obrigação de revelar:

— Pelo que minha mãe me contou, meu nome peculiar... — *para não dizer feio*, penso — ... é o nome de uma cidade na França. Meu avô veio de lá, se chama La Rochelle.

— A novata é estrangeira — observa Léo com outro assobio e o rosto iluminado.

— Não, não — faço questão de corrigir abanando a mão para descartar o comentário. — Sou brasileira mesmo, mas meu avô, o pai da minha mãe, era francês, então... — Meneio a cabeça num mais ou menos. — É, sou meio francesa, mas não considero muito.

— Você fala francês? — é Talita quem deseja saber com curiosidade estampada nos olhos escuros.

— Só *bonjour, merci* e *oui* — uso meu escasso vocabulário francês em tom de brincadeira.

— Você já foi para a França? — Léo quer saber, parecendo muito interessado.

Digo que não, e Talita me salva de ser interrogada pelo pessoal, me arrastando para a área coberta da churrasqueira.

— Minha amiga acabou de chegar, gente, deem um desconto para ela. — E se vira para cochichar perto do meu ouvido: — Faz um tempinho que ninguém novo entra para o grupo.

Quero corrigi-la e dizer que não faço parte do grupo, sou apenas visitante, mas Talita está sorridente com a missão de me tornar um pimentão ambulante ao ir me apresentando para todos ali. Desconfortável, mapeio o lugar procurando onde posso me esconder. O complicado é que está todo mundo falando comigo. Sorrio, aceno, falo "*ois*" cheio de timidez.

Talita decide se trocar no banheiro me deixando na companhia de Cris, a esposa do pastor e também líder da juventude. Com um sorriso caloroso, ela beija os dois lados da minha bochecha.

— Estamos felizes de você estar com a gente hoje.

Ela é um pouco mais alta que eu, tem a pele alva com sardas amarronzadas nas bochechas e no topo do nariz, os cabelos de uma cor de ferrugem bastante incomum, o que faz um belo jogo com seus olhos esverdeados. Bom, um deles é verde porque o outro tem tom de mel. Não tinha reparado naquela noite do culto, mas a líder tem um olho de cada cor. Que maneiro!

— Espero que você tenha um dia prazeroso conosco, Chér — deseja Cris com alegria.

— Obrigada.

— Vai demorar um pouco para a carne ficar pronta, mas pode se servir, se quiser. — Ela indica uma mesa coberta por uma toalha branca repleta de pratos, talheres, arroz, farofa e outros acompanhamentos de que gosto muito. — A comida é liberada e a piscina também — avisa dando-me um sorriso. — Se precisar de alguma coisa, pode falar comigo. E, por favor, se puder me dê o número da sua mãe para eu enviar uma mensagem avisando que você está conosco e deixar meu contato com ela.

— Ah, tudo bem.

Com o número de mamãe anotado em seu celular, Cris afaga meu ombro, reafirmando sua alegria por eu estar aqui, e então sai para ajudar o marido no balcão da churrasqueira.

— Quer beber alguma coisa, Chér? — Luciano me oferece, parando ao meu lado.

Peço um refrigerante gelado. Enquanto ele se debruça na pequena geladeira ali perto, noto alguns jovens comendo nas mesas e cadeiras de plástico, alguns afinando violões e o pessoal da piscina fazendo uma superbagunça. O suor em minha testa e a quentura no pescoço úmido fazem que eu deseje me jogar naquela água também.

Luciano me oferece um copo descartável com a bebida. Agradeço tomando todo o líquido gelado num único gole. Seguro um pequeno arroto e me vejo dizendo:

— Sua casa é enorme — confiro o lugar ao meu redor.

— É, sim — concorda ele, puxando seus fios molhados para prender em um coque mais firme. — A maioria das reuniões a gente faz aqui por causa do espaço. Meus pais são tranquilos quanto a isso e até gostam da casa cheia — conta dando um sorriso torto. — Eu apresentaria você a eles e ao meu irmão, mas os três foram para o sítio do meu avô e só retornam amanhã à tarde.

— Quer dizer que deixaram você sozinho no fim de semana? Nossa, que sonho! — suspiro e Luciano solta um riso. — Acho que meus pais nunca me deixariam sozinha um fim de semana. Esses dias fiquei na casa da minha avó, que mora no mesmo prédio, e meu pai foi me verificar todo dia, aff.

Luciano acha graça do meu comentário.

— Meus pais são de boa, Chér. Eu fico sozinho direto. Sou um cara bem-comportado, a propósito — ele me lança uma piscadela divertida.

— Você não dá festas ou coisas do tipo quando fica com a casa só para você? — brinco.

— Claro que dou — afirma ele com tanta naturalidade que sua resposta me faz abrir a boca. Observando minha expressão ele esclarece: — Se você considerar jogar vídeo game até o dia seguinte como festa... — e quica os ombros nos fazendo rir. — É o meu tipo de festa favorito, Chér.

— Típico — giro os olhos para dar ênfase.

— Típico? — Luciano une as sobrancelhas, a sombra de um sorriso pairando em seus lábios.

— É, sua cara isso. Vídeo game, quadrinhos, filmes de heróis... — Encolho os ombros como se minha explicação bastasse.

— Chér! Estou pronta. Vamos para a piscina? Ou você já quer comer alguma coisa?

Talita nos interrompe, se enfiando entre Luciano e eu. Ela usa um maiô preto simples de mangas longas.

— Talita! — Léo chama da piscina. — Vem pro Marco Polo.

— Estou indo! — responde ela toda animada já puxando minha mão. — Vai se trocar, Chér.

— Espera aí — me desvencilho. — Não estou com vontade de entrar agora.

Na verdade, a vontade apareceu com tudo por causa desse calorão, mas a vergonha de ficar de biquíni quase me sufoca. Não conheço ninguém direito, além de Luciano e Talita.

— Depois ela entra, Talita — Luciano sai em minha defesa. Respiro aliviada por não jogar o jogo do pingue-pongue de vontades com a Talita. — Bora apostar o melhor salto?

Luciano se vira para Talita com um brilho competitivo no olhar. Ela solta um sim entusiasmado e começa a correr para um dos muros que fica ao fundo da piscina. Luciano puxa a camisa sobre a cabeça, largando-a em um canto qualquer, e segue Talita. Observo os dois conversando e rindo até que se preparam para apostar corrida.

Talita parece queimar a faixa imaginária três vezes, o que me faz rir da cena. Luciano a impede de prosseguir, ela o empurra, eles caem na risada. Os dois contam até três e pegam velocidade na corrida para saltarem sobre a piscina. O pessoal se agita comemorando os saltos. Logo, dão notas para ver quem foi o melhor. Da minha perspectiva, foi o Luciano.

— Aí, novata — Léo se vira na minha direção e me chama com uma mão molhada.

— Se eu me aproximar você não vai me puxar, né? — Estreito os olhos para ele.

O garoto dá uma risadinha e faz que não com a cabeça. Não confio mesmo assim.

— É só para você desempatar nossos competidores — ele se explica.

— Vota em mim, Chér — pede Luciano, do meio da piscina, erguendo um polegar e dando um largo sorriso.

Talita empurra o amigo e implora por meu voto.

— Garotas apoiam garotas, Chér. — Ela faz um coração com as mãos.

— Ai, gente, pede pra outra pessoa — tento me livrar. Léo insiste no meu voto. — Tá — falo resignada tombando a cabeça para analisar Luciano e Talita. Mordisco o lábio e finjo pensar.

— Chér, você me conhece há mais tempo — Luciano apela.

— Isso não vale! — rebate Talita estapeando o ombro do amigo.

— Lembra das aulas de reforço, hein. Ainda temos meio ano pela frente — insiste ele.

— Meu voto é seu — declaro de imediato.

— Isso! — Luciano brada com um soquinho no ar.

— Chér?! — Talita abre os braços amuada. Ela faz beicinho e tudo.

— Foi mal — encolho os ombros me desculpando.

— Você acabou de comprar nossa jurada. Isso é suborno! — Talita pula no pescoço do Luciano tentando dar um caldo nele.

— Cada um usa as armas que tem, Talita — Luciano rebate se divertindo, e é Talita quem recebe o caldo.

Enquanto assisto a todos brincando em meio a risos escandalosos dentro da piscina, sigo derretendo como calda de chocolate neste calor, cheia de vontade de entrar na água também. Não demora muito para eu mandar as inseguranças para o espaço, trocar de roupa e me render à água convidativa, me divertindo pelo restante do dia.

— 37 —
Não posso acreditar

— Chér, por quanto tempo ainda você vai ficar sem falar com a Pilar?

Ignoro a pergunta da Bruna e continuo rolando meu feed do Instagram.

— Vocês estão brigadas? — Dinho quer saber mastigando ruidosamente seu sanduíche do outro lado da mesa.

— Bora, Dinho, termina de comer para jogarmos uma partida — pede Luciano, que larga seu copo de suco vazio em nossa mesa no refeitório. Vejo seu pacote de pipoca pela metade.

— Você não vai comer o resto? — aponto o pacote com o indicador. Luciano responde que não e me oferece. Aceito de bom grado. O pão de queijo não foi suficiente para aplacar minha fome matinal.

— Valeu — agradeço já enchendo a boca de pipoca salgada.

— Chér! — Bruna sacode meu ombro exigindo minha atenção.

Dou um suspiro e a ignoro mexendo no celular.

— Você vai mesmo deixar o time de futebol? Foi porque brigou com o Zack?

A pergunta de Dinho a Luciano me faz encarar meu colega, de olhos arregalados, do meu lado na mesa. Nem pisco. O quê? Luciano está saindo do time e brigou com o Zack? Por quê?

— Você vai sair do time? — questiono curiosa pela súbita informação.

— Vou — responde Luciano arrastando sua cadeira para trás. Ele faz uma cara feia para Dinho, que retribui com uma expressão de *"foi mal"*. Meu amigo fica de pé e acena para alguém atrás de nós.

Sigo com o olhar e encontro uns meninos com quem Luciano e Dinho costumam jogar basquete. Um dos garotos segura a bola laranja em uma mão e com a outra chama Luciano.

— Bora, Dinho.

Luciano dá um pontapé na cadeira de Dinho, que engole o restante de seu sanduíche em protesto. Dinho toma um gole da água da Bruna e dá um selinho rápido nela antes de seguir com Luciano para a quadra de basquete.

Observo as costas dos dois, um pouco sentida por Luciano ter me dado uma resposta tão seca. Nem tive tempo de perguntar por que ele vai sair do time e por que brigou com o Zack. O que será que rolou?

Hoje de manhã, quando viemos para o colégio, Luciano estava com a cara amarrada, parecia chateado com algo. Fizemos o caminho todo com ele em silêncio. Estranhei, porque costumamos conversar bastante e sobre diversos assuntos.

— Chér, a Pilar está tão mal — Bruna volta a tocar no assunto que tenho evitado.

Solto um suspiro cansado.

Desde que a semana começou, Bruna tem enchido meus ouvidos sobre minha briga com Pilar. Como se já não bastasse meu coração magoado e apertado por ficar tantos dias sem falar com ela. Nem mensagens estamos trocando, algo que era tão natural quanto respirar. Sinto muita falta da Pilar, a cada momento do dia. É horrível ficar sem falar com sua melhor amiga. Ela é uma das minhas pessoas favoritas no mundo. É por isso que magoou tanto ela não ter sido honesta comigo desde o fatídico dia em que o print vazou.

— Sabe que ela não fez por mal, né, amiga — Bruna me encara com tom baixo.

Sei disso. Mesmo assim rebato:

— Ela compartilhou uma informação pessoal, Bruna, com o ficante dela, aquele ridículo que enviou para o Zack e sabe-se lá para quantas mais pessoas do colégio. É pura humilhação. Ela devia ter me contado para que ao menos eu soubesse lidar com essa situação — me queixo num choramingo.

— Você teria contado? — Bruna joga a pergunta para mim com uma sobrancelha erguida em desafio. — Quero dizer, se você sem querer tivesse enviado um print de uma conversa sua com a Pilar ou comigo para a pessoa errada, e essa pessoa fosse tão estúpida a ponto de compartilhar a conversa com outras pessoas? Como você se sentiria?

— Não sei — rebato baixinho cruzando os braços e virando o rosto para fugir dos olhos atentos de Bruna.

— No mínimo, vamos combinar que, se você se importasse de verdade com suas amigas e soubesse como foi terrível o que você fez sem querer, você se sentiria péssima. Pois é assim que a Pilar está se sentindo. Ela está arrasada, Chér. Fica olhando para você com cara de cãozinho abandonado. Perdoa a coitada, amiga.

— Não é uma questão de quantos dias eu escolhi no mês para dar gelo nela — bufo puxando com irritação a tiara de pérolas que cismei de usar. — A questão — pauso um pouco estressada por meus cachos terem se embolado no arco — é que estou magoada, Bruna. Tenho o direito de estar — pontuo enraivecida com o arco infeliz que me arrancou tufos. Bato com o diadema em cima da mesa. — Não vou mais usar essa droga.

Bruna pega o diadema e o desliza pelos cabelos loiros.

— Eu sei, amiga, mas você sabe quanto a Pilar te adora — Bruna diz com a voz mansa. — Você viu todas as declarações que ela fez no Instagram? E aquele monte de tuítes?

Escondo um sorriso esticando os lábios num biquinho. Não só vi os stories e tuítes como printei todos eles. Pilar postou fotos antigas nossas, momentos divertidos, até constrangedores, e fez vários textos sobre amizades verdadeiras.

— Você viu aquele story em que ela postou uma foto de vocês com a música da Barbie do *Lago dos Cisnes*? E disse que você era a única amiga que assistia desenho da Barbie com ela?

— Eu vi! — Uma onda de risos me atinge.

— Declaração pública de infantilidade, para você ver o quanto ela te ama.

Bruna termina de devorar as últimas pipocas do saco e eu tomo o meu suco.

— Você sabe que vou perdoá-la — me escuto dizendo enquanto seguimos para o banheiro. — Nunca ficamos sem nos falar por muito tempo.

— Então acho bom ser antes da nossa viagem — ordena Bruna, e passamos a tagarelar sobre nossa viagem de férias daqui a duas semanas.

* * *

Na hora da saída, encontro o Luciano fora dos portões do colégio. Combinamos de ir juntos, já que vou ajudar vó Lourdes na loja e Luciano vai direto para casa. Como ele está de fones, apenas me coloco ao seu lado e assim vamos andando pela calçada. Ainda bem que está nublado, depois de dias com um sol tão quente que nem parece ser outono. Nada anormal para minha cidade. O clima no Rio de Janeiro é sempre peculiar.

Decido pegar meus fones esquecidos na lateral da mochila e os encaixo nas orelhas. Acesso minha playlist favorita dos últimos tempos, a que Luciano compartilhou comigo, e ouço "Satisfy", de Rivers and Robots, minha nova queridinha. Cantarolo baixinho trechos da canção.

Oh Lord You satisfy me
Like nobody else can
Lord You satisfy me

You give me life
In abundance joyful and complete
Cause Your steadfast love is so much better
Than anything I've seen
[Oh, Senhor, tu me satisfaz
Como ninguém mais pode fazer,
Senhor, tu me satisfaz

Tu me dás vida
Em abundância jubilosa e completa
Pois teu amor constante é tão melhor
Que qualquer outra coisa que já conheci]

Um toque no ombro me tira de meus pensamentos. Vejo a boca de Luciano se movimentar. Arranco um dos fones.

— Quê?

— Perguntei que música você está ouvindo.

Luciano guarda a caixinha dos seus fones sem fios no bolso da calça escura.

— Ah, "Satisfy" — revelo com um sorriso de canto. Devo todo meu amor por Rivers and Robots a Luciano, e ele sabe bem disso. — Estou apaixonada pelo álbum *Discovery* — faço questão de comentar.

— É muito bom mesmo — concorda ele, ajeitando a mochila nas costas. — Todas as músicas deles são incríveis. Meu álbum favorito é o *All Things New*.

— Também adoro esse. Na verdade, nem sei escolher meu preferido — dou uma risadinha. — Por que *All Things New* é o seu? — questiono desejando que a gente possa conversar em vez de seguirmos os dois imersos em música em silêncio. Guardo meus fones.

— Talvez porque tenha sido o álbum que mais escutei durante minha fase de... — Luciano se cala parecendo procurar pelas palavras certas. — De querer uma comunhão honesta com Jesus, entende?

— Aham — confirmo com um aceno. Acho que entendo o que ele quer dizer.

— Na época eu sentia Jesus fazendo novas todas as coisas em mim, na minha vida, e acalmando o mar revolto que eu tinha na alma. Esse álbum foi muito significativo pra mim — ele fala com o olhar distante, como se revisitasse suas memórias. — Um dia eu te conto sobre isso, Chér — Luciano garante, virando o queixo para me fitar. Uma pontada de animação cruza seu rosto. — Te falei que eu fui ao show que eles fizeram aqui no Rio?

— Sério? Puxa, deve ser sido incrível.

— Foi mesmo — afirma com um sorrisão. — Ainda bem que consegui vê-los ao vivo antes que a banda fizesse uma pausa.

Depois de um tempo, ele pergunta:

— Chér, você vai almoçar na galeria?

— Vou sim. Devo ir com minha avó.

— Tudo bem almoçar com vocês? Não queria comer sozinho hoje.

— Claro, Luciano.

Seguimos conversando sobre música até a galeria.

Próximos da loja de vó Lourdes, Luciano tecla em seu celular e eu vejo algo que me deixa boquiaberta. Sou forçada a travar meus passos em razão do impacto com que a cena me atinge.

Vovó está parada ao lado da vidraça com um grande buquê de flores nos braços. Um senhor está de frente para ela, e ele é bem alto. O homem se inclina e descansa um beijo lento em uma das bochechas de vovó, que estende uma mão e acaricia muito devagar o ombro do senhor desconhecido por mim. Minha avó tem um sorriso gigante ao cheirar as flores e, em seguida, se inclina nas pontas dos pés para devolver o beijo no rosto do senhor.

É isso mesmo que estou vendo? Quem é esse homem?

Ai, caramba! Será que ele é o namorado da vovó?

O pensamento me perturba.

Como assim minha avó está namorando?

— 38 —
Vovó está namorando?

Constrangida demais por ver vovó com o suposto namorado, arrasto Luciano pelo pulso por uma das entradas da galeria. Andamos tão rápido que na verdade estamos correndo. A imagem de vovó entregando o enorme buquê para aquele homem fica piscando na minha mente. Por culpa das flores não pude ver direito o rosto do senhor. Mesmo de longe percebi a alegria da vovó ao fechar a vidraça da loja, encaixar seu braço no do homem e seguirem juntos na direção em que eu estava com Luciano. Precisamos sair daqui o mais depressa possível. Imagina cruzar com vovó e seu... namorado? Minha nossa!

— Chér, vai com calma — Luciano pede, atrás de mim, mas não dou a mínima e sigo rebocando o garoto por uma das vias repletas de lojas, pessoas e barulho. — O que houve?

— Não posso acreditar que ela tem um namorado!

É tudo o que digo apressadamente antes de fincarmos os pés na calçada ainda mais barulhenta devido ao fluxo de carros na avenida. Minha respiração está entrecortada, e coloco as mãos nos joelhos em busca de ar. Segundos depois noto o estado de Luciano, o rosto avermelhado e suado. Ele puxa o moletom pela cabeça e o amarra na cintura.

— Cara... — Acho que ele vai dizer algo, mas só expele ar pela boca e inspira com força. — Eu não vi nada...

— Mas... — eu me obrigo a respirar e sinto o ar cortando caminho por minhas narinas. — Eu vi, Luciano. N-não — gaguejo ofegante. — Não tinha como cruzar com eles. Nossa! Que loucura.

Luciano balança a cabeça para os lados e me encara como que não acreditando no que acabamos de fazer. Tapo minha boca com a mão quando uma onda de risos escapa. Saímos feito um foguete para não cruzar com minha avó e seu aparente namorado. É mesmo motivo de riso.

— Eu quase tropecei — Luciano comenta, o que me faz gargalhar ainda mais.

Minha barriga chega a doer com nossas risadas. Permanecemos assim por alguns minutos até encontrarmos um restaurante longe da galeria para almoçarmos.

— Como ela pôde esconder uma coisa dessa de mim e da minha mãe? — pergunto mais para mim mesma que para Luciano quando nos sentamos para comer em uma das mesas ao fundo do self-service.

Meu amigo espeta o pedaço de frango com gergelim de seu prato e o leva à boca. Torço o nariz para os grãozinhos. Ele pede um minuto com o dedo e espero que ele termine de mastigar para ouvi-lo dizer:

— Acho que ela pode só estar esperando o momento certo, Chér. — Ele quica os ombros. — Talvez estejam apenas se conhecendo.

— Mesmo assim! Ela deveria ter comentado que se interessou por alguém — rebato, mordendo a alface. Por que coloquei salada no meu prato? Não gosto de folhas. — Quer minha salada? Não gosto.

Luciano aceita e jogo todo o verde do meu prato no dele. Volto a falar:

— Cresci ouvindo vovó dizer que tinha aceitado sua condição de viúva e que não tinha vontade de se casar outra vez.

— Vai ver ela mudou de ideia.

— E não contou para minha mãe e para mim? Somos a família dela, Luciano, as únicas! É uma falta de consideração tremenda. — Externo toda a indignação que sinto. — Não é uma bolsa nova, ou uma mudança no cabelo. É um na-mo-ra-do! E eu acho que...

Paro de falar no instante em que meu celular vibra três vezes seguidas. Verifico. São mensagens de vovó. Leio apressada.

> Vovó: Meu bem, onde você está? Sei que marcamos de almoçar juntas, mas tive um imprevisto.

— Rá! — solto irônica apontando o dedo para o celular. — Ela acabou de me escrever dizendo que teve um imprevisto. Acredita nisso? — boquiaberta, aperto a pontinha do nariz vendo Luciano rir com a boca cheia.

Leio a última mensagem:

> Vovó: Fui almoçar com um conhecido que apareceu de maneira inusitada. Perdão, meu bem. Não sei quanto tempo vou demorar aqui, então pode ir para casa. Obrigada por se prontificar. Depois entro em contato.
> Vê se come direitinho.

— Um conhecido? Sei... — murmuro sem acreditar que ela me escreveu isso. — Conhecido coisa nenhuma! Ela me jogou pra escanteio pra sair com o suposto namorado e disse que entraria em contato comigo depois. Vê se pode! — Digito uma curta resposta de volta e viro a tela do celular para baixo me obrigando a comer. — Quem compra um buquê daquele tamanho?

— Alguém bastante interessado — aponta Luciano com um olhar travesso.

Fecho a cara para ele. Rolo os olhos sem conseguir me segurar.

— Bastante interessado... sei — repito com a mente agitada. — Minha mãe vai ficar louca! — atiro com uma súbita reflexão. Se eu estou me sentindo desse jeito, me roendo de curiosidade e meio indignada, imagina ela, que é a filha? Mamãe vai pirar. — Preciso contar pra ela. — Pego o celular, pronta para enviar a mensagem bombástica.

— Você não acha que é melhor esperar? — Luciano cobre minha mão com a sua me impedindo de digitar. Franzo a testa para ele, que diante de minha hesitação aconselha: — Você nem sabe direito se ele é namorado da sua avó, Chér. Não seria melhor deixar que ela conte a novidade primeiro? Aliás, isso é assunto dela. E se ela ficar chateada por você sair contando?

— Vamos ficar chateadas por ela não ter contado de qualquer modo, mas você tem razão — suspiro resignada, virando a tela para baixo outra vez. — Será que devo falar para a vovó que a vi hoje?

— Você vai ter coragem de perguntar se ela está namorando?

— Sei lá! — Sugo minha Coca-Cola pelo canudinho refletindo sobre o que fazer. — Preciso pensar melhor.

— Deixa rolar — orienta meu amigo. — Se for algo sério, com certeza ela vai contar para você e sua mãe.

— Você fala isso porque não é sua avó, uma senhora — ressalto com um dedo erguido — que está namorando.

— Eu gostaria que meu avô encontrasse alguém — exprime Luciano com um gesto de ombros, revirando a comida em seu prato. — Ele fica muito sozinho no sítio, apesar da família ser grande e tal. Acho que seria bacana que ele se casasse de novo, ter alguém com quem envelhecer — finaliza atirando um pedaço de frango na boca.

— Não é que eu não goste da ideia de vovó se casando — comento, e uma imagem dela vestida de noiva cruza minha mente. — Talvez demore um tempo para eu me acostumar com a ideia. — Sacudo a cabeça para espantar as cenas que me causam estranheza. — É só que eu gostaria que ela contasse pra gente sobre esse senhor aí. Do contrário, vou fazer minhas próprias buscas.

Ergo uma sobrancelha, animada de repente com a possibilidade de dar uma de detetive.

Luciano abre um sorriso suave para seu prato. Finalizo a refeição e limpo a boca. Decidida a mudar de assunto, me inclino na direção dele com o comentário de Dinho piscando em meus pensamentos.

— Então quer dizer que você vai sair do time de futebol?

Luciano toma um gole de seu chá gelado me dando um aceno breve em resposta.

— Por quê? — insisto. — Aconteceu alguma coisa?

Dinho comentou sobre a briga com Zack. Quero muito saber o que aconteceu. Por que Luciano brigaria com ele? Quero tocar no assunto, mas lembro a cara que Luciano fez para o Dinho. Será que devo perguntar?

— Cansei — é o que ele diz simplesmente.

— Sério? — brinco com o canudo dentro do meu copo. — Ahn... — Raspo os dentes nos lábios. Ai, que seja! Vou perguntar. — Eu ouvi o que o Dinho falou mais cedo, sobre sua briga com o Zack. É por isso que está saindo? — Meu rosto esquenta como pão na chapa.

Luciano se afasta um pouco da mesa e alisa a nuca com uma mão. Ele parece desconfortável ao desviar seus olhos dos meus e observar o restaurante movimentado ao nosso redor.

— Rolou um desentendimento no último treino e... — ele pausa como que procurando as palavras certas. — Quer dizer, não foi a primeira vez, mas as coisas ficaram, bem... — outra interrupção e ele estala os polegares. — Foi um tanto tenso.

— Vocês brigaram? Tipo, de contato físico?

— Quase.

— Quê? — Pisco atordoada com esse "quase". Não consigo imaginar Luciano agredindo alguém. Ele é a calmaria em pessoa. — Como assim, Luciano? — Invado metade da mesa com minha cabeça inclinada em sua direção.

— Ele quase partiu para cima de mim, os caras que nos impediram. Eu só iria me defender. Mas não me orgulho de ter deixado a raiva tomar conta. Eu tinha que ter dado o fora antes.

Luciano esfrega o rosto com um suspiro pesado e descansa os braços na mesa.

Estou tão chocada com essa revelação que nem sei o que dizer.

— Mas deixa isso pra lá, Chér. Minha saída do time não foi por causa do Zack.

Tudo bem, mas por que vocês brigaram? Essa pergunta quase escapa da minha língua. Quero saber o motivo do desentendimento. Mas também não quero parecer curiosa demais, já que Luciano desconversou. E, além disso, posso dar a entender que me importo com algo sobre Zack, e não é verdade. Me importo com Luciano. Zack não significa mais nada para mim. Luciano é meu amigo.

No entanto, embora Luciano nunca tenha comentado sobre o que aconteceu entre mim e Zack, sei que ele sabe. Não desejo trazer à tona esse assunto, então murcho sob minha curiosidade e deixo pra lá, como Luciano pediu.

— A razão de eu ter saído do time era porque estava cansado de estar lá por causa do meu pai, Chér — Luciano comenta em tom baixo e presto atenção nele. — Estar no time era uma das coisas que meu pai exigiu que eu fizesse e... — Luciano se cala e morde o lábio inferior parecendo incerto sobre o que falar. E toma mais um gole de sua bebida.

Talvez tenhamos entrado em território excessivamente íntimo. Não quero tornar nossa conversa pesada ou desconfortável.

— Ah, entendi — digo, mesmo que eu não estivesse entendendo muita coisa.

— Ele sempre quis que eu fizesse algum tipo de esporte. Nunca gostei tanto assim de esporte como ele, na verdade. — Ele faz uma careta com os lábios retorcidos revirando a comida em seu prato quase limpo. — Enfim... — Seus ombros cedem com o suspiro profundo que libera. — Para eu conseguir entrar no teatro e no parkour, fizemos um acordo. Ele me deixaria ir se eu jogasse futebol no colégio.

— Você jogou obrigado, Luciano?

— Mais ou menos. No começo, eu ia obrigado mesmo e era horrível — confessa Luciano descansando os braços na mesa. — O pior era que eu gostava de futebol, e até que jogo bem. Só que uma coisa era jogar uma pelada com os amigos e me divertir, outra era ter a obrigação de treinar no colégio e conseguir uma vaga no time oficial. Era o que o meu pai queria, e era a forma de eu conseguir o que eu queria, então entrei para o time.

Não conheço o pai do Luciano, mas já não vou com a cara dele.

— E agora você se cansou de jogar?

— Agora não — ele abre um sorriso fraco sem emoção. — Faz tempo, mas com o rumo nada agradável das últimas conversas com meu pai, tomei a decisão de sair do time já que vou ter que trabalhar meio período na loja da família.

— Quer dizer que você se livrou do futebol, mas descolou um emprego forçado?

— Sim, é o que parece. Começo meu expediente após as férias de julho.

— Para... béns? — Aperto as sobrancelhas tentando ser divertida porque fico com pena por Luciano ter um pai tão autoritário assim.

— Obrigado, eu acho. — Ele entra na brincadeira e me lança um sorrisinho irônico.

— Sinto muito você ter que ir trabalhar obrigado. Se meus pais me forçassem a ir para o consultório eu piraria.

— Não é tão ruim, Chér. A questão é que meu pai está me forçando, sabe, e isso tira toda a graça de ter um emprego pela primeira vez. Ele tem expectativas e nunca fez questão de esconder que deseja que eu administre o lugar num futuro próximo e...

— Só que você vai fazer teatro — concluo por ele.

— Se eu ameaçar expor o que quero é motivo de briga, então só fico quieto, deixo que ele fale e obedeço como se estivesse de acordo — Luciano suspira e apoia o cotovelo na mesa descansando o queixo na palma da mão. Seu rosto se ilumina um pouco quando diz: — Ao menos vou poder juntar dinheiro pra ir para uma escola de arte cristã, e quem sabe depois para a faculdade.

— Escola de arte cristã? — quero saber.

— É, isso mesmo — Luciano diz e fica de pé. — Vou pegar um sorvete, você quer?

Aceito e minutos depois Luciano retorna para nossa mesa com dois Cornettos. Enquanto rasgo a embalagem, ele prossegue:

— Existe uma companhia de artes cristã sensacional que veio ao Rio uns anos atrás. As peças são muito boas. Depois que iniciei no teatro passei a acompanhar o trabalho deles de perto pela internet, e até fui a alguns musicais. Quando vierem para cá novamente, vou levar você pra conhecer — ele promete.

Concordo com um aceno leve e prefiro omitir o fato de que nunca fui a um teatro. Quer dizer, assisti ao musical de *A Bela e a Fera*. Isso conta? Deve contar. Também nunca me interessei por ver peças no YouTube ou coisas do tipo. Quando minha igreja ainda tinha alguns jovens e eu era criança, eles faziam peças em datas comemorativas, como o Natal e a Páscoa. Na minha lembrança, eram apresentações muito bonitas. Resumindo, sou leiga sobre arte teatral, apesar de gostar. Mas vou reparar esse lapso e pesquisar a companhia e as peças que Luciano comentou.

Ergo os olhos para ele, que se inclina mais em minha direção. É nítido seu entusiasmo.

— Essa companhia tem uma escola de artes, e é lá que quero estudar quando terminar o ensino médio ano que vem. Não é uma faculdade, mas tem diversos cursos que eu desejo fazer. Meu plano é me mudar para São Paulo, me inscrever nessa escola, fazer todos os cursos que puder e estudar para o vestibular. Quero muito isso, Chér — Luciano declara com firmeza, seus olhos meio esverdeados refletindo toda a emoção de seu discurso. — Tenho orado sobre isso para ter certeza dessa decisão. Mas, de verdade, eu sinto Deus me apontando um caminho. Sonho em fazer da minha arte um lugar em que eu possa glorificá-lo e levar pessoas para mais perto dele, entende?

Balanço a cabeça, ainda que não conheça essa paixão que vejo iluminada no rosto do meu amigo. Não me refiro ao amor pelo teatro, mas sim ao que ele deseja fazer com sua escolha profissional, glorificar a Deus e aproximar pessoas de Jesus. Não faço ideia do que quero fazer na faculdade, mas ainda há tempo para decidir. Pergunto internamente se minha escolha um dia terá o mesmo objetivo de Luciano.

Permanecemos na mesa uns bons minutos conversando sobre teatro e também sobre parkour, o esporte que Luciano pratica e adora. Ele me mostrou alguns vídeos seus praticando parkour. É difícil acreditar que Luciano, a tranquilidade em pessoa, goste tanto de um esporte radical repleto de adrenalina. Mesmo com medo só de olhar, achei o máximo. Recebi um convite para uma de suas apresentações teatrais. Garanti que iria assim que o próximo espetáculo acontecesse. Com certeza vou gostar muito.

— 39 —
Noite agradável

— Filhota, precisamos ver a lista do que você vai levar para viagem. Talvez tenhamos que comprar alguma coisa. Você ainda quer uma mala nova?

Mamãe tenta demonstrar casualidade ao tocar no assunto da minha viagem enquanto corta uma fatia de pizza, mas consigo notar seus olhos ansiosos do outro lado da mesa me encarando na expectativa de respostas mais elaboradas que "sim", "não", "pode ser" e acenos sutis.

É nisso que nosso diálogo tem se resumido.

No começo, eu fazia de propósito, queria que ela sentisse que eu estava chateada. Não queria assunto e a ignorava toda vez que se aproximava. Ela tem pisado em ovos comigo desde então, e eu sem saber como me desculpar pela maneira como agi naquele dia da briga.

Estive muito irritada com mamãe, mas depois do culto de ontem voltei refletindo sobre nossa briga e pensando nas palavras da professora da escola bíblica dominical. Meu coração ficou um tanto pesado. Senti nos ombros o fardo da culpa. Talvez eu tenha exagerado. Ainda acho que ela está errada por ter me exposto daquele jeito, mas agora entendo um pouco que ela só estava tentando ser... bem, uma mãe e me proteger à sua maneira.

E a aula da igreja foi sobre isso, sobre os erros e acertos dos pais, a obediência dos filhos, o respeito, o perdão e tantas outras coisas que fiquei remoendo no coração. Devo a ela um pedido de desculpas. Só não sei ainda como me aproximar e dizer o que precisa ser dito.

— Quero uma mala, sim — respondo fazendo questão de abrir um pequeno sorriso em sua direção.

— Podemos ir ao shopping neste fim de semana — minha mãe sugere com expectativa. — O que acha?

Aceito sua sugestão com um gesto de cabeça e mordo minha fatia de pizza.

Adoro quando meus pais escolhem pedir fast-food em vez de jantarmos comida caseira.

— Você quer que eu veja o que precisa levar? — insiste mamãe com aquele brilho ansioso nos olhos verdes. — Posso arrumar sua mala se você quiser, filhota.

— Não, obrigada. Eu mesma quero arrumar — rejeito sua ajuda porque quero escolher peça por peça e compor meus looks. Percebo que o semblante alegre de minha mãe cai e uma pontada de arrependimento me atinge. Tomo um gole de refrigerante para limpar a garganta. — A Bruna fez uma lista enorme das coisas necessárias para levarmos para Búzios, vou te enviar pelo zap. Eu marquei o que vou precisar. Você pode comprar, por favor?

— Claro que sim, filha! — exclama abrindo seu sorriso caloroso. — Quero ajudar no que precisar.

Devolvo o sorriso enquanto torno a rolar o feed do Instagram.

Desde os boatos do Twitter eu me mantive longe das redes sociais. Ainda estou com o app do Twitter desinstalado, e quando posto algo no Instagram é apenas para amigos íntimos.

Meu celular apita duas vezes seguidas. Encontro mensagens de Luciano.

Luciano: E aí? Descobriu quem é o sujeito?
Luciano: Estou olhando para o seu retrato falado. Você desenha mal pra caramba, Chér.

Dou uma gargalhada e quase me engasgo com o pedaço de pizza. Hoje, depois da escola, fui encontrar vovó na loja. Nada combinado, quis verificar se o tal senhor estava por lá como na sexta passada. Luciano precisou ir para a empresa do pai, por isso fiz meu caminho para casa sozinha e fui até a galeria. Não avisei a vovó, lógico. Ser detetive significa agir com discrição.

Para minha surpresa, o senhor estava dentro da loja e vovó, toda animadinha, recolocava os itens nas prateleiras conforme tagarelava com o suposto namorado. De onde eu estava, não foi possível reparar bem no sujeito. Assim, fui com cuidado para trás do largo jarro de plantas que ficava no corredor da galeria bem em frente à loja de vovó. Agachada — e humilhada por ter de ficar escondida — consegui ótimos vislumbres do coroa.

Os cabelos brancos e as ruguinhas no rosto bronzeado denunciavam uma idade próxima da de vovó. Ele tinha ombros largos e pernas longas, e usava uma blusa xadrez meio brega de mangas curtas, calça bege e nos pés calçava botas de fazendeiro.

Quando reparei melhor, o senhor parecia um fazendeiro de verdade. Até notei um chapéu em cima do balcão na loja — ao lado de outro buquê de flores. Tentei tirar fotos para analisar com cuidado depois e também ter provas contra vovó, no entanto meu celular havia morrido dentro da mochila. Para minha tristeza, eu não tinha nenhum carregador extra. Então, tratei de fazer uma caricatura. Ficou horrível, eu sabia, mas ainda assim fiz questão de enviar para o Luciano apenas para rimos da situação.

Chér: Eu não desenho mal coisa nenhuma, tá?
Luciano: Eu desenho da próxima vez, beleza? Sou melhor nisso que você.
Chér: Duvido!

Uma mensagem diferente chega no visor. É de Talita. Um sorriso espontâneo brota em meus lábios.

No sábado, nós nos encontramos por acaso na entrada do prédio. Ficamos um bom tempo conversando. Descobri que temos muita coisa em comum e que gosto de estar com ela. Talita tem um jeito todo acolhedor, honesto e alegre. Estou amando fazer amizade com ela. Embora seja tudo recente, parece que somos amigas a vida inteira.

Depois de falarmos sobre tantas coisas, Talita me convidou para o culto de ontem de manhã em sua igreja. Um pouco apreensiva porque Luciano não estaria lá — ele viajou para ver os avós em São Paulo —, fui à igreja e o pessoal me recebeu como se eu já fizesse parte da turma. Participei da escola bíblica dominical e amei a forma como a professora ensinava e o momento da roda de conversa. Após o culto, almocei na igreja com os jovens e foi ótimo, de verdade. Gostei tanto de ter ido ontem que aceitei o convite de Talita para o encontro de oração na casa dos líderes da juventude, amanhã.

O que me lembra que ainda preciso da permissão de meus pais. A mensagem de Talita é para me lembrar disso. Por causa da semana corrida, acabei me esquecendo de mencionar o culto aqui em casa.

— Mãe, amanhã vai ter reunião na casa da Cris, a líder da juventude da igreja da Talita e do Luciano — comento antes que eu esqueça de novo. — Quero muito ir. Posso? — Ergo o queixo para minha mãe enquanto digito uma mensagem de volta para Talita e respondo outra de Luciano.

— Você parece estar gostando da igreja de lá — ela observa, e eu não discordo.

— Estou sim. Os cultos são muito legais e o pessoal é muito receptivo — revelo e apago a tela para encarar minha mãe com esperança. — Posso ir amanhã?

Ela faz que sim. Abro um sorriso satisfeito.

— Aonde você vai amanhã?

Meu pai aparece na sala com o tórax negro desnudo repleto de gotas de água, recém-saído do banho. Ele termina de secar a cabeça e larga a toalha no encosto da cadeira ouvindo o chiar da mamãe. Meu pai torce os lábios e retira a toalha para jogar de qualquer jeito no varal da varanda. Mamãe reclama e eles começam a trocar pequenas farpas por causa da toalha e do péssimo hábito de papai — que também é o meu — ao estender suas toalhas úmidas. Na verdade, o problema reside em não estender nos padrões corretos de mamãe. É engraçado ver os dois brigarem — se é que se pode chamar isso de briga — porque eles são muito pacíficos.

Assim que a conversa muda a direção, papai desliza para si a caixa da pizza e eu aproveito para avisar:

— Vou a um encontro de oração com meus amigos amanhã. Pelo endereço é perto daqui.

Papai pausa sua mordida na pizza e me analisa como se tivesse falado algo surpreendente.

— O que foi?

— Eu ouvi direito? — pergunta ele abaixando a mão com a pizza intacta. Seus olhos estão fixos em mim com nítido interesse misturado a surpresa. — Você vai a um culto de oração?

— Vou — reponho como se fosse um acontecimento natural.

— Por quê? — é o questionamento esquisito que ele me faz. Dou de ombros.

— Porque eu quero — é a minha explicação brilhante.

Papai dá uma mordida generosa em sua pizza ainda me encarando como se eu fosse alguma suspeita. Ele mastiga de um jeito engraçado, soltando pequenos silvos.

— O que foi, pai? — Abro os braços só para cruzá-los na frente do corpo. — Não posso ir a um culto de oração?

— Claro que pode! — rebate ele e gesticula de maneira vaga. — É que seu interesse repentino é meio... — e deixa a frase morrer acentuando o vinco entre suas sobrancelhas espessas.

— Nossa! — exclamo fingindo estar ofendida e pego mais uma fatia de pizza — Ninguém me leva a sério nesta casa.

— Tem algum garoto bonitinho nessa igreja, hein?

Não posso acreditar que ele acabou de me perguntar isso.

— Luís! — A censura vem pelos lábios de mamãe. Até ela o fita com olhos arregalados e reprovadores.

Disposta a implicar um pouquinho com ele e com seu coração ciumento, dou um suspiro afetado e confirmo sua pergunta com um *"aham"*. É a vez de papai agigantar os olhos negros. Não posso conter o risinho astuto em meus lábios.

Estico a mão e vejo que mamãe está tentando não rir.

— Rochelle. — O tom de papai é áspero e perigoso. — Que história é essa?

No dia em que eu aparecer com um namorado é capaz de ele ir parar na emergência.

— Ué — gesticulo os punhos para fora com o pote de ketchup numa mão. — Você perguntou se tinha garoto bonito, estou dizendo que sim.

— Pode esquecer de ir nesse culto — meu pai aponta seu dedo indicador para mim num resmungo.

— Você sempre disse que queria papo aberto... — Encolho os ombros de modo descontraído apertando o molho vermelho na minha pizza.

— Para de graça — pede ele coçando a barba volumosa.

Começo a rir porque não quero que ele se chateie e me impeça de sair.

— O senhor sabe que estou visitando a igreja dos meus colegas, pai — relembro.

— Você não disse que tinha garotos por lá.

Fala sério!

— Não é uma igreja só de mulheres, então... — suspiro revirando os olhos. — É meio óbvio que tenha meninos, né. — Papai continua com o rosto endurecido. Estalos os lábios e me rendo:

— É brincadeira, pai.

— Não gosto dessas brincadeiras — sua voz é dura.

Quanta falta de humor.

— Olha, pai, um dia eu vou namorar — digo para o completo horror de meu progenitor. Faço questão de emendar bem rápido: — Mas relaxa que isso vai demorar pra acontecer, tá? Só que é bom você já ir trabalhando essa ideia e tal.

Juro que é a última alfinetada. Eu não resisto porque papai fica muito pilhado quando esse assunto surge.

— Você só tem quinze anos, Rochelle! — rebate ele indignado.

— Quase dezesseis, mas que diferença faz, né.

— Luís, ela só está brincando! — mamãe entra no meio para acalmar os ânimos e me lança um olhar feio como quem diz *"pare de perturbar seu pai"*. — Dei permissão para ela ir ao culto. Conheci a líder no dia em que fui buscá-la na casa do amigo da Rochelle.

Mamãe começa a sair em minha defesa, o que me desconcerta principalmente quando diz que está gostando de me ver envolvida com as "coisas de Deus". É minha deixa para dar o fora levando uma fatia de pizza de banana com canela.

— 40 —
Amizade boa

Ao longo da semana, fiz tantos exercícios nas aulas de reforço que ontem eu demiti o Dinho e o Luciano. Nossa, eles estão pegando muito pesado. Sei que as provas finais estão se aproximando e eu preciso tirar notas excelentes — na verdade, estou à espera de um milagre para não ficar de recuperação. Porém, as aulas têm sido tão intensas que o Dinho vai pifar com os únicos neurônios que eu tenho disponíveis para matérias de exatas.

Somado a isso, tenho de lidar com professores colocando pressão na classe durante as aulas, a proximidade das férias, mamãe tentando me agradar de qualquer jeito, Pilar e eu sem nos falarmos, e ainda tive prova final no curso de inglês. Um provinha de nada... *oral*! Quase tive uma síncope na frente dos meus colegas. Detesto estar no centro das atenções. Tremi, gaguejei, suei frio e quase vomitei de nervoso. Apesar de vivenciar mais uma humilhação pública, tirei uma excelente nota no exame. Um peso a menos sobre meus ombros estudantis.

Ombros esses que estão sofrendo com o peso de minha mochila enquanto obrigo meu corpo a vir para a escola em plena manhã quente de sexta-feira. Como anseio pelas férias. Falta tão pouco, só preciso suportar mais alguns dias sofríveis e encarar as últimas provas do bimestre que começam semana que vem. E, é claro, gabaritar todas.

— Estou indo para a quadra de basquete, Chér. Nos vemos no intervalo — Luciano avisa, ao meu lado, andando de costas e me dando um aceno rápido.

— Você vai direto pra casa hoje depois da aula? — pergunto antes que ele comece a correr como de costume.

Luciano molda uma careta com um pedido de desculpas no rosto.

— Foi mal, Chér. Meu pai me quer na loja hoje, então vou depois das aulas. — Seus lábios se apertam em uma linha fina e ele dá puxões nos cadarços de sua mochila.

— Beleza então.

— Desculpa deixar você ir sozinha — lamenta ele apertando as sobrancelhas, e eu balanço a cabeça como se não importasse.

Importa, na verdade. Acabei me acostumando a ter a companhia de Luciano na ida e na volta do colégio. Tornou-se parte de nossa rotina, e eu gosto muito dela. Sinto falta de sua companhia quando tenho de caminhar sozinha.

— Mais tarde você me manda as respostas da folha de exercícios — ele pede semicerrando os olhos para mim de forma intimidadora e me apontando um dedo insolente. — Vou ficar esperando, Chér. Sem enrolações, sem desculpas.

Faço uma cara enjoada e finjo que minha mão é uma espada ao passá-la pelo pescoço e pendê-lo para o lado. Um dia os cálculos me matam, juro que sim.

Luciano ri e continua a caminhar, depois dá uma corridinha com sua mochila quicando nas costas até virar num corredor e sumir de vista. Decido ir ao banheiro verificar se meus cachos estão no lugar. Lavei o cabelo bem cedinho e finalizei às pressas. Por causa disso, saí de cara limpa. Aproveito os minutos antes das aulas para passar uma cor nas bochechas e aplicar rímel. Vejo meu reflexo no espelho. Bem melhor assim, com cara de saúde.

Saio do banheiro rolando o feed do Instagram e, bocejando, subo as escadas para meu andar assim que o sinal toca. Atraso os passos com o desânimo se espalhando pelo corpo ao pensar no primeiro tempo de filosofia e quanto vou ter de me esforçar para não dormir.

Para piorar a situação, avisto Zack na entrada da sala. Aperto os dentes. Ele ainda causa esse efeito em mim. Passo por ele fingindo que é invisível e não me incomodo com seu típico olhar de desdém. Depois de tudo o que fez, ainda me encara como se eu fosse a errada da história, como se eu não valesse nada.

Como um garoto pode ser tão otário?

Queria ter visto essa versão de Zack antes de me apaixonar feito uma tonta. A única coisa boa que sinto quando vejo Zack é o alívio de não ter meu coração batendo como as asas de uma borboleta apressada por causa de um rostinho bonito. É libertador não estar mais encantada e enganada por minhas tolas fantasias.

Por mais que incomode seu menosprezo, busco lembrar meu valor. Sei que sou preciosa para Deus. Sou filha do Rei e sei o que isso faz de mim. Ele me ama, e isso é o que importa.

* * *

Depois das aulas mais demoradas desta manhã, o sinal de intervalo nos liberta da opressão mental. Pego o celular já com os fones de ouvido e faço meu caminho para o refeitório. Combinei de encontrar Bruna por lá, mas não a encontro porque ela foi ao banheiro.

Dinho me cumprimenta de boca cheia segurando um salgado e Luciano, também de fones, tecla em seu celular, alheio à minha presença. De mansinho dou a volta por trás dele com ar travesso e aperto seus ombros com força soltando um "*buh!*". Ele se assusta, como esperado, e eu começo a rir. Assustar o Luciano é sempre muito fácil. Ele vive em seu mundinho à parte.

— Puxa vida, Chér! — Ele arranca um dos fones me enviando um olhar letal.

Não me intimida. Luciano é um cara tão pacífico que não põe medo em ninguém.

— Olha — Mostro os pelinhos do meu braço esquerdo. — Estou arrepiada de medo. — Brinco irônica.

Um sorriso dança em seus lábios, que ele faz questão de transformar em uma careta. Luciano puxa os cabelos em um coque baixo mais firme e fica de pé avançando tão rápido sobre mim que esbarro na cadeira e ouço seu baque no chão. Dou a volta na mesa o mais veloz que consigo com Luciano no meu calcanhar aos risos. Empurro as cadeiras em sua direção, Dinho reclama da confusão porque sem querer entornamos seu suco, mas Luciano não para de me perseguir e eu também não paro de correr.

O ar está rasgando pelos meus pulmões quando me afasto da área de refeitório e corro pela lateral indo para o pátio. Meu riso se engasga devido a nossa pequena perseguição. Olho por sobre um ombro e não vejo Luciano atrás de mim. Será que o despistei? Paro para respirar no exato segundo em que avisto um vulto subir tão depressa na mureta do canteiro que cerca o refeitório e saltar por cima do corrimão aterrissando bem na minha frente. Solto um grito assustado e miro Luciano com horror, até me desequilibro e seguro o corrimão atrás de mim.

— Quer me matar do coração?!

O coitado já estava acelerado feito as asas de um pássaro cativo e agora a ponto de sair pela boca por causa do susto. Luciano me encara com um ar falsamente prepotente, um meio sorriso vitorioso brincando no cantinho de seus lábios. Acerto seu ombro com um pequeno soco. Ele nem se move, para minha chateação, e continua tirando sarro de mim.

— Não tem graça — falo massageando na altura do peito.

— Tá nervosa, Chér? — Ele se inclina sobre mim e noto suas íris repletas do mesmo divertimento que goteja de suas palavras. — É bom dar susto nos outros, não é? Fica esperta agora. — E me aponta um dedo intimidador.

— "Fica esperta agora" — repito sua frase imitando sua voz masculina com zombaria. Abro um sorriso arteiro e sem pensar muito enfio a mão no cabelo do Luciano e retiro o elástico que prende seus fios longos. — Fica esperto agora — desafio vendo sua boca se abrir enquanto os cabelos rodeiam seu rosto e eu rodeio seu corpo.

Estou correndo e rindo tanto que sinto falta de ar. Não me lembro de me divertir assim em um intervalo. Luciano está berrando meu nome ainda parado lá na rampa do adjacente ao refeitório. Pela sua cara parece não acreditar no que acabei de fazer. Dou uma paradinha só para mostrar meu sorriso vitorioso e puxar o elástico que está no meu pulso a fim de que ele veja meu troféu. Luciano coloca as mãos na cintura mexendo a cabeça para os lados, mas está rindo também.

— É bom você correr! — grita ele de volta.

Mostro a língua e ganho vantagem.

Atravesso o pátio lotado de alunos, trombo em alguém, peço desculpas e perco um dos meus tênis pelo caminho. Mesmo assim não paro meu trajeto rumo à biblioteca. Ando de costas puxando o ar com força e reparo em Luciano ainda correndo sem me dar descanso, e desta vez ele tem meu tênis na mão.

Por que eu quis brincar de pega-pega com um garoto que faz parkour? Devia ter me lembrado disso antes de estar aqui quase desfalecendo sem oxigênio.

— Trégua? — suplico parando debaixo de uma das amendoeiras. Escoro meu corpo exausto no tronco para recuperar o ar.

Meus pés doem e me sinto acabada. Luciano me alcança em poucas passadas de pernas. Seu rosto está vermelho e suado, os cabelos um pouco desgrenhados, mas ele parece sob controle. Bem diferente de mim, que estou inalando o ar como uma louca desesperada. Tenho uma mão sob o coração obrigando o pobre a se acalmar e a outra deslizando pela testa para tirar o rastro de suor. Meu corpo está quase em ebulição.

Quando foi a última vez que corri assim na vida? Nem faço ideia. Correr não é nem de longe uma das minhas atividades prediletas.

— Você corre bem, Chér — elogia ele.

— Estou quase morrendo, se não percebeu.

Ajeito os cachos que grudam na minha nuca úmida e arrumo os fios para o lado do pescoço. Entrego de uma vez o elástico de Luciano. Através da meia branca percebo o chão quente. Pulo num pé só e estico o braço para pegar o tênis de volta. Luciano retrai a mão.

— Me dá, Luciano — choramingo com a voz falha.

— Vem buscar — ele provoca, e tem a brilhante de ideia de se afastar de costas com o maldito sorrisinho espertalhão.

— Não corre, por favor — gemo tombando a cabeça para trás. — É sério, Luciano. — Meus ombros caem com o cansaço que me atinge. — O chão está quente. — Faço um beicinho na esperança de convencê-lo antes que comece a correr desenfreado e saltar como um macaco-aranha pelo pátio do colégio.

— Peça desculpas por viver me dando sustos, Chér — ele ergue o queixo, exigente.

— Desculpas — declaro de imediato. — Agora joga meu tênis.

— Não me pareceu muito sincero — Luciano acusa torcendo os lábios.

— Porque não foi — falo em voz alta e pressiono minha palma na boca para me conter, mas sei que meus olhos arregalados me traem.

Luciano suspende uma sobrancelha e continua dando marcha ré devagar, rodopiando meu tênis no dedo.

— Pega comigo depois das aulas. — E me lança uma piscadela.

Cruzo os braços resmungando e me sento no banco que fica debaixo da árvore. Com uma careta puxo a meia com pedrinhas, sujeira e pedaços de galhos grudados no tecido branco. Estou batendo a meia no banco quando percebo Pilar subindo as escadas da biblioteca sozinha. Na mão uma garrafinha de refrigerante de uva, seu sabor preferido, e a caixinha de seus fones. O banco fica perto da biblioteca, mas ela parece não me ver aqui. Posso notar seu rosto meio abatido. Não está maquiada, e ela nunca sai sem maquiagem.

Ontem Pilar não veio para a escola. Bruna contou que ela não se sentia bem. Fiquei preocupada, mas não mandei nenhuma mensagem mesmo querendo muito saber se ela estava bem. Agora estou arrependida. Não aguento mais ficar sem falar com ela. Amo Pilar como uma irmã, e também não sei guardar rancor por muito tempo. Quero que voltemos a ser como éramos antes. Penso nisso enquanto observo Pilar terminar de subir as escadas cabisbaixa.

— Toma.

Meu tênis surge por cima do meu ombro. Luciano afunda do meu lado no banco. Calço o par do All Star preto e me curvo para amarrar os cadarços.

— Valeu — agradeço a ele por ter sido misericordioso.

— Que fique claro que estou devolvendo porque...

— Porque você é um cara muito bonzinho — completo por ele e belisco sua bochecha.

Luciano empurra minha mão com um olhar de censura.

— Estou devolvendo porque seu chulé é muito desagradável, Chér.

Seu comentário besta me surpreende.

— Eu não tenho chulé! — rebato ofendida.

— Tem sim. Depois vou te indicar um talco bacana.

— Luciano! — exclamo boquiaberta vendo-o rir de mim. — Não tenho chulé.

— Cheira mal sim. — Ele tem a coragem de movimentar os dedos na frente do nariz como se eu fedesse.

— Sai daqui! — eu o expulso empurrando seu braço com as duas mãos.

Luciano está gargalhando. O som de sua risada me contagia, mas faço questão de manter o bico emburrado nos lábios e olhá-lo como se quisesse esganá-lo.

— Vem, vamos lanchar. — Ele encosta no meu ombro de leve.

— Só se for para ver você engasgar com sua comida. — Mostro a língua para ele.

Luciano fica de pé e me chama para voltar ao refeitório. Encaro as escadas da biblioteca, duvidosa. Não perco tantos segundos para decidir o que fazer. Luciano segue sozinho para lanchar, e eu subo as escadas à procura de Pilar.

— 41 —
Estou aqui pra você

Pilar está sentada no chão de costas para o corrimão de concreto cinza. Vou me aproximando devagar, afastando um punhado de folhas ressecadas com os pés, e me agacho ao seu lado. Deixo as pernas flexionadas como as dela e descanso os braços nos joelhos. Pilar vira seu rosto para o meu, franzindo as sobrancelhas como se tentasse entender minha presença ali. Percebo que ela andou chorando porque o nariz está vermelho e os olhos úmidos. Ela desliza uma mão pela bochecha e desvia o rosto para o outro lado do corredor.

— Oi — corto o silêncio fitando meus polegares.

Leva alguns segundos para ela me dizer de volta:

— Oi.

Eu a escuto fungar, e o som me entristece.

— Tudo bem? — Estou realmente preocupada com ela.

Pilar faz que não.

— Por que você está aqui?

Estranho sua pergunta, mas respondo com cuidado:

— Você não parecia bem e se isolou. Ontem não veio para a aula. Queria saber se está sentindo alguma coisa, passando mal.

Pilar não diz nada e esfrega o rosto na manga da camisa azul.

— Meu pai saiu de casa, Chér — revela num sussurro.

Levo alguns minutos para assimilar o que ela acabou de contar.

— Eles vão se separar mesmo — esclarece com voz de choro.

— Ah, amiga. — Minha voz é puro lamento. — Sinto muito.

Pilar está chorando de forma audível, e meu peito arde com o arrependimento. Ela está enfrentando essa barra e eu não sabia por puro orgulho ferido. Sou uma amiga horrível. Sem demoras, puxo Pilar para um abraço forte.

Sua tristeza é quase palpável. É difícil até imaginar como seria vivenciar esse processo de separação dos pais, mas de alguma forma compartilho de sua dor como se fosse minha.

Poderia dizer que vai ficar tudo bem como as pessoas costumam dizer em momentos dolorosos, mas prefiro ficar quieta. Abraço Pilar com carinho tentando consolá-la do meu jeito. Por alguns minutos ficamos assim, ela chorando e eu a envolvendo com os braços e me segurando para não chorar também.

Aos poucos, Pilar procura se acalmar e nos afastamos.

— Eu sei que as brigas vão parar... — Pilar aperta os olhos com força e esfrega o nariz com a palma da mão para arrastá-la no jeans. — Eu queria que elas parassem, Chér, você sabe.

Sim, eu sabia. Os pais de Pilar estão em pé de guerra há muito tempo. Pilar sempre dizia que talvez fosse melhor que os dois se separassem, porque não aguentava mais viver naquele caos.

— Mesmo sabendo que talvez seja o melhor para todo mundo, no fundo eu esperava que eles pudessem resolver suas diferenças e manter o casamento. — Sua voz embarga. Eu aperto seu ombro para confortá-la. — Minha família está se desfazendo, e isso dói muito. Ontem meu pai fez as malas, enfiou tudo no carro e foi embora. Simples assim. — As lágrimas voltam a escorrer, Pilar as enxuga num segundo. — Acredita que ele nem se despediu de mim, Chér? — Há tanto ressentimento e dor em seus olhos que tenho vontade de chorar com ela. — Até agora não disse pra onde foi, como está...

Meu coração se parte ao ver minha amiga assim tão infeliz.

— Nem um beijo de despedida, sabe. Um abraço, sei lá. — Ela atira as mãos para o ar num ato claro de impotência. — Ele foi embora sem se importar com nada além dele mesmo. Tive que escutar minha mãe chorando a noite inteira. Nem consegui dormir. Foi um pesadelo. Minha mãe não foi trabalhar desde ontem, mal está comendo. Dá pra ver que está destruída. E eu pensando que o divórcio seria o melhor... talvez seja, só não agora.

Pilar amassa uma das folhas demonstrando sua raiva misturada com a dor que sente.

Não posso dizer que sei como ela se sente, porque não sei. Nunca vivi algo semelhante. Meus pais têm um casamento que eu considero modelo. Acho que se eles começassem a ter brigas explosivas como aconteceu com os pais de Pilar e se divorciassem, eu também me sentiria infeliz. O pensamento me torna melancólica.

— Sei que você está muito desapontada comigo, mas eu agradeço por estar aqui agora, amiga — escuto Pilar sussurrar, a cabeça abaixada onde os cabelos curtos escondem parte de seu rosto.

Não minto quando molho os lábios para falar:

— Sua atitude me deixou muito magoada, mais do que o print ter ido parar com Vicente e tal. Nossa amizade sempre foi honesta, Pilar, e você vacilou. É claro que ainda estou meio aborrecida com você e talvez leve um tempo para passar, mas você é minha melhor amiga, e eu sempre, *sempre* — friso — vou estar aqui pra você.

Meu discurso torna Pilar mais emotiva. Ela deita a cabeça no meu ombro me pedindo um montão de desculpas e dizendo o quanto me ama e que também sou sua melhor amiga.

— Não suporto a ideia de não ter sua amizade, Chér — ela confessa com um beicinho choroso.

— Me sinto da mesma forma. Estava morrendo de saudades de conversar com você — confesso com o coração quentinho.

— Eu também, amiga. Tenho que te contar tanta coisa.

O início de um sorriso surge no rosto de Pilar. Ela se endireita, coloca uma mecha de cabelo atrás da orelha e vira de lado, parecendo animada de repente. O sorriso tímido se transforma em um daqueles meio travessos que anunciam suas covinhas.

— Conheci um garoto lá no curso de inglês.

— E o Vicente? — pergunto confusa porque ela estava gamada nele.

— Te falei que terminei tudo quando o confrontei sobre o print. Estou com ranço do Vicente.

— Pensei que estivesse apaixonada.

— Eu gostava de ficar com ele, não posso negar — Pilar mordisca o interior da bochecha pensativa. — De todos os garotos que já fiquei do colégio, o Vicente foi meu preferido. Uma pena ser um babaca.

Pilar se ajeita no chão para me segredar sobre um tal de Alan, o novato no cursinho de inglês. Segundo minha amiga ele é muito gato e charmoso. O típico moreno sarcástico dos livros de romance que ela adora ler. Não duvido que seja isso tudo, Pilar sempre escolhe os carinhas mais bonitos. Apesar de achar rápido ela já se interessar por outro garoto quando acabou de encerrar seu lance com Vicente, também não me sinto surpresa porque Pilar é assim, não fica sozinha por muito tempo, nem mesmo quando o término é doloroso.

Aconselho minha amiga a ir devagar porque acabou de conhecer o tal garoto. Pilar, cheia de risinhos, revela que eles já trocaram os números de celulares e perfis do Instagram. Ela saca o celular do bolso e me mostra o perfil do garoto.

— Diz que não é lindo, Chér?

Ele é muito bonito, porém mais velho.

— Eu não me importo, amiga — Pilar rebate depois de ouvir meu comentário sobre a idade de Alan. — Estou cansada desses garotos da nossa idade que são uns idiotas. Ou são feios e engraçados, ou bonitos e imbecis. — Ela molda uma expressão entediada.

— Sabe o que eu acho? — Ela parece interessada em ouvir. — Que você devia se dar um tempo sozinha. Seu coração precisa de sossego, amiga.

— Preciso dar uns beijos, isso sim — Pilar ri. — Estou na seca, e com tudo acontecendo lá em casa preciso de algo para me distrair. E se for um moreno lindão de um metro e oitenta... — Seu sorriso de covinhas surge outra vez.

Suspiro em desaprovação.

Queria poder compartilhar Jesus com a Pilar. Queria que ela pudesse experimentar o que tenho vivido com Deus, como seu amor tem me completado, me curado e transformado. Agora eu sei que essas paixões levianas são poços que secam rapidamente, águas salgadas que não podem saciar a sede e que, na verdade, só causam mais sede. Depois que encontrei o oceano do amor de Deus, suas águas doces e profundas, descobri que era tudo o que procurava. As poças já não serviam mais.

Estou aprendendo a mergulhar nesse amor, e que imersão tem sido. Quero distância de poças, e desejo que minha amiga possa viver assim também. Desejo que ela encontre o amor verdadeiro, o que realmente precisa em Jesus e que ele a complete como tem feito comigo. Oro em pensamentos pedindo ao Senhor que Pilar possa encontrá-lo.

Por isso, não consigo refrear minhas palavras ao dizer:

— Amiga, nada disso vai satisfazer você de verdade. Nenhum garoto pode dar aquilo de que você realmente precisa e que busca bem no fundo do seu coração. Um amor verdadeiro, puro e duradouro. Um amor que completa e que transborda — declaro retorcendo os dedos sobre os joelhos. — É um amor que não traí, não machuca e que cura. Um amor que dura para sempre.

Não sei quem fica mais surpresa com minhas palavras, Pilar ou eu. Fico meio tímida. Nunca falei de Jesus assim com ela, aliás com nenhuma amiga. Parte de mim lamenta nunca ter compartilhado Jesus com minhas amigas, mesmo que elas soubessem que eu sou cristã. A outra parte se anima com a coragem recém-adquirida, e não perco a oportunidade de falar sem reservas sobre ele quando molhos os lábios para dizer:

— Você é muito preciosa para Jesus, amiga. Permita que o amor dele, o único verdadeiro e incomparável, te preencha. Ele te ama muito e deseja cuidar do seu coração.

Pilar não diz nada por alguns segundos até soltar um "obrigada" sem jeito, acredito que mais por não saber o que dizer diante do meu discurso do que por estar grata de fato.

— Vou orar por você, por sua mãe e por seu pai, tá? — digo, e Pilar movimenta a cabeça com suavidade. — Se você precisar de alguma coisa, amiga, pode contar comigo e com minha família. Você sempre vai poder contar comigo. Desculpa ter sido ranzinza e insensível. Mas eu estou aqui pra você agora — estalo um beijo na cabeça de Pilar, que me abraça de lado.

— Obrigada por ainda ser minha amiga, Chér — ela declara com voz fofa, se afastando para prender as mechas rosas atrás das orelhas.

— Obrigada por ainda ser minha amiga, Pilar — devolvo com um sorrisinho que ela retribui. — Você é mais que isso, é como uma irmã pra mim.

— Amiga, assim eu vou chorar de novo — ela faz um beicinho, e nós rimos uma para a outra fazendo nosso típico toque de mão.

Como é maravilhoso ter minha melhor amiga de volta.

— Quer ir para minha casa depois do colégio? — ofereço assim que o sinal toca, quando começamos a descer as escadas de braços dados. — Se quiser pode ficar o fim de semana, minha mãe não vai se importar. Podemos até estudar para as provas — sugiro animada com a ideia, mesmo que eu saiba que estudar seria a última coisa que faríamos.

Pilar solta um muxoxo.

— Queria tanto amiga. Eu iria amar, e confesso que estou precisando ficar mais tempo com você, senti muitas saudades. — Ela pressiona com carinho o rosto no meu ombro. — Mas não posso ir, não quero deixar minha mãe sozinha esses dias. Por mais que eu queria espairecer e esquecer, não quero que minha mãe passe por isso mais abandonada do que já está.

— Você tem razão. É melhor ficar com ela, amiga — encorajo.

— Mas vamos ter as férias todinhas só para a gente, e vamos curtir muito. Não vejo a hora de sair desse colégio e partir para a praia.

— Eu também! — concordo torcendo muito para poder estar com elas nas férias de julho.

— 42 —
Depois de muito esforço...

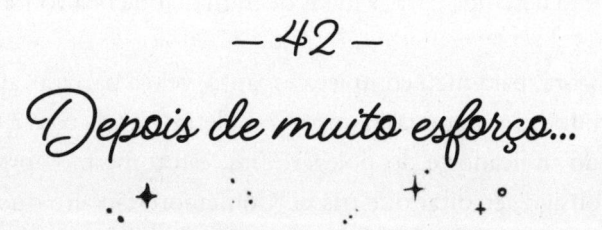

Acabo de vivenciar o maior milagre da minha vida estudantil. Encaro a tela do aplicativo do colégio que me permite visualizar meu boletim. Pisco diversas vezes aproximando o rosto do celular para ter certeza de que minhas notas são essas mesmas. Pelas contas que fiz com Luciano após obter o resultado das provas, eu precisaria de dois pontos em matemática para passar. Ontem fiquei tão decepcionada comigo, cheia de desesperança ao pegar na prova e constatar que estava encrencada. De recuperação e sem poder viajar com minhas amigas. Foi como se toda a alegria tivesse sido sugada de mim.

Era o fim da minha vida! Até ensaiei meu discurso triste para Bruna poder ter alguma pena de mim em vez de querer me matar — como tem ameaçado fazer há semanas.

No entanto, fui à sala dos professores para chorar como uma boa aluna sabe fazer. Perturbei o juízo da Cláudia enquanto ela tomava seu cafezinho, implorando que me ajudasse com dois pontos extras. A professora, com seu jeito frio e indiferente, nem deu bola para meu discurso caloroso — e humilhante —, em que falei por minutos quanto havia me esforçado para entender a matéria e tirar boas notas. Cheguei a levar Dinho e Luciano como testemunhas de meu empenho. Cláudia nos dispensou com uma mão e disse que veria o que poderia fazer, o que me pareceu mais uma desculpa para se livrar de mim do que boa vontade em ajudar.

E agora, para meu completo espanto, vejo a palavra "aprovada" em todas as matérias! Amplio o boletim na tela com a ponta do dedo indicador e do polegar. Sim, estou mesmo aprovada! Mal consigo acreditar que passei. Comemoro tão alto que ouço alguém pedir "*shiu*" de algum canto da biblioteca. Corri para cá quando avisaram que o boletim estava disponível, a fim de me esconder para ver as notas sozinha, longe de meus amigos. Agora só preciso revelar para eles que estou oficialmente de férias. Ainda nem acredito que, depois de todos esses dias estudando como louca na biblioteca e em casa, fui aprovada neste bimestre.

Inspiro o ar gélido com o cheiro típico de livros, apreciando o gostinho da liberdade.

— Gente! — chamo meus amigos descendo as escadas de dois em dois degraus. Tropeço no último e Dinho me ampara antes que eu o derrube como um pino de boliche. Noto os olhos dos quatro meio assustados com meu rompante.

— Passou? — A ansiedade para descobrir é todinha de Bruna. Aperto os lábios para segurar mais um pouquinho a novidade. Bruna agita os braços. — Anda, Chér!

Pigarreio para poder abrir um enorme sorriso ao declarar:

— Estou aprovada! — Bato palmas toda animada.

— Até que enfim! — suspira Bruna com a expressão aliviada.

— Passei, gente. Que alegria!

Com um gritinho salto sobre os ombros de Luciano quase nos derrubando no chão.

— Caramba, Chér — Luciano ri e agarra meus braços tentando nos equilibrar.

— Parabéns, amiga! — Pilar vibra me dando um abraço assim que Luciano me estabiliza.

— Gente, estou nas nuvens! — conto com a cabeça leve e o coração agitado de emoção.

— É isso aí, nerd — Dinho levanta a mão para um cumprimento. Estalo com tudo minha palma na sua.

— Vocês foram fundamentais! — eu exclamo me virando para Luciano e Dinho. — Têm minha gratidão eterna. — Coloco uma mão no peito e me curvo com graça, ainda que grata de verdade. — Obrigada por serem professores tão melhores que os professores do colégio, *ops*! — Pressiono os lábios com três dedos e viro a cabeça para os lados me certificando de que ninguém além deles me ouviu. Os meninos estão rindo. — Valeu mesmo por não me deixarem desistir e por estimularem os poucos neurônios que tenho. Adoro vocês!

— Você mereceu passar, Chér. Trabalhou duro para recuperar suas notas. Estou orgulhoso de você. Mandou muito bem. — Luciano molda um sorrisinho de canto e estende seu punho fechado para que eu choque o meu no dele. É o nosso novo cumprimento de amigos.

— Sabe que, não fosse por você, eu não teria conseguido, né? — digo para ele com sinceridade.

Luciano repuxa o gorro em sua cabeça e desconsidera meu comentário com um gesto de mão, como se não quisesse receber as glórias por ter me ajudado tanto. Esse garoto merece uma estatueta por aturar todas as minhas neuras, burrices e birras. Ele acreditou mais em mim que eu mesma. Devo muito ao Luciano.

— Então vamos almoçar aqui perto? — Pilar pergunta colocando a mochila nas costas.

— Depois quero tomar açaí — diz Bruna, prendendo os cabelos num coque despojado.

Combinamos de almoçar todos juntos depois do último dia de aula. Bruna, Pilar e eu vamos viajar para a praia, Dinho para a casa dos avós em Petrópolis, e Luciano vai para um retiro com a galera da igreja em Miguel Pereira. Fui convidada por ele, Talita e a líder tia Cris para me juntar ao grupo. Confesso que fiquei com muita vontade de ir porque nunca fui a um retiro.

No entanto, a viagem com minhas amigas havia sido planejada há meses, e seria péssimo da minha parte desistir de ir com elas depois de todo o meu esforço para conseguir isso. Apesar de estar curiosa para saber como é um retiro, acredito que haverá outras oportunidades agora que decidi que vou fazer parte da igreja dos meus amigos.

Tomei a decisão no último culto e espero em breve compartilhar isso com meus pais. Estou orando para que não considerem um problema eu congregar em outro lugar longe deles. Dividi meus receios com Talita, que me encorajou a orar, confiar em Deus e conversar de maneira honesta com meus pais. Sei que minha mãe vai me apoiar, já meu pai... meu ranzinza predileto precisa de um toque especial do céu. Sorrio e afasto os pensamentos.

Acompanho meus amigos para a saída da escola e percebo que Luciano ainda carrega minha mochila. Pego de volta.

— Vou pagar seu açaí como gratidão por você ter sido maravilhoso pra mim, Luciano.

— Ah, não precisa, Chér — Luciano parece sem jeito.

— Claro que precisa — reforço com um movimento de cabeça. — Além disso, vou trazer um presente pra você da viagem. E se disser que não precisa, trago dois.

— Engraçadinha — ele declara com tom de riso escondendo as mãos nos bolsos da calça jeans. Percebi ser uma mania do Luciano quando caminhamos. — Espero que sua viagem seja boa, Chér — e toca seu ombro no meu.

— Obrigada. — Devolvo o cumprimento abrindo um sorrisão. — Vai ser sim. — Idealizo os dias na praia com minhas amigas que andam na minha frente, Bruna de mãos dadas com Dinho e Pilar teclando no celular. — Confesso que não sou tão fã de praia assim, só quero ter umas férias com minhas amigas.

Luciano assente como se entendesse. Paramos todos na barraquinha de açaí e peço o meu e de Luciano pagando antes que ele não deixe. Conversamos um pouco, os cinco, até Bruna, Pilar e Dinho partirem, após abraços apertados e com a promessa de nos vermos em poucos dias. Sigo com Luciano para casa.

— Aproveite bastante o retiro — desejo depois de um tempo. — Espero um dia ir com vocês.

— Você vai. No final do ano devemos ter outro e no feriado de carnaval também.

— Depois me fala direitinho para eu me planejar — peço comendo o restinho da calda de morango do meu copo. — Hum — lambo os lábios gelados para falar: — Não vejo a hora de frequentar de vez sua igreja. Quando eu voltar de Búzios vou falar com meus pais. Me deseje sorte.

— Você tem o Espírito Santo, não precisa de sorte — é o que ele solta com uma expressão séria no rosto que quase me mata de rir.

— Uau — falo com graça. — Isso soou tão crentês — brinco e noto a sombra de um sorriso em seus lábios. — Foi profundo.

— É só a verdade — Luciano encolhe os ombros. — O Senhor vai te levar para onde ele quiser que você vá. Basta confiar nele.

— Talita me disse algo parecido — comento abrindo um sorriso suave. — Obrigada.

— Disponha. — Ele me lança uma piscadela divertida. — Te contei que vou para o sítio do meu avô nas últimas semanas de férias?

— Não! — exclamo. — Que legal que seu avô tem um sítio. Você tem foto?

E pelo restante de nosso trajeto até meu prédio, Luciano conta sobre o sítio de seu avô, me mostra fotos, vídeos e até promete me levar para conhecer um dia.

— 43 —
Malas e um pedido sincero

Para mim, a coisa mais difícil relacionada a viajar é ter de arrumar as malas. Encaro a minha nova, tão roxa quanto uma berinjela, aberta sobre a cama ao lado de pilhas e pilhas de roupas espalhadas. Gemo sem saber onde estava com a cabeça quando imaginei que tirar quase todas as roupas do armário e jogar na cama era uma boa opção para escolher os looks das férias. Desarrumei as prateleiras em minutos e faz mais de uma hora que tento dobrar camisas, shorts, calças e organizar tudo dentro dos compartimentos da mala. Indecisa sobre o que levar, deixei a preguiça tomar conta. Estou aqui me distraindo com vídeos do TikTok, muito ciente de que viajo amanhã e que devo encarar essa bagunça e aprontar logo minha mala.

Incomodada com minha posição, viro de barriga para baixo e destaco outra fileira de chocolate da barra que estou devorando. Nada como um chocolatinho para me trazer algum conforto nos momentos de estresse. Vou apreciando o sabor adocicado com pedaços de amendoim até que paro um instante para conferir um áudio de Luciano. Ele quer saber se já organizei a mala. Torço o nariz e respondo que não, atirando outro pedaço da barra na boca. Mais cedo, enquanto ele se arrumava para ir à igreja e sair para viajar com os outros jovens, comentei que seguia na saga de aprontar minha mala.

Uma foto de Luciano na frente do ônibus de viagem aparece no chat. Ele está de gorro e moletom como de costume, um sorriso de lábios cerrados no queixo erguido para foto. Segundos depois, outra foto aparece: Luciano ao lado de Léo, Talita e Thabata. Abro um sorriso quando escuto o áudio de Luciano que, na verdade, é Talita falando:

— Queria tanto que você viesse para o retiro com a gente, Chér. Você iria adorar — Escuto Léo dizer ao fundo: — Ainda dá tempo de vir — o áudio fica mudo até eu ouvir a voz de Talita de novo: — Mas espero que faça uma boa viagem, Chér.

— Mandem áudios dos celulares de vocês — é a voz do Luciano, e consigo ouvir Talita e Léo aos risos. Luciano me envia outro áudio. — Valeu, Chér. Estamos entrando no ônibus. A gente se fala depois. Vê se arruma logo essa mala.

Sorrindo, tiro uma selfie de um ângulo que possa abranger toda minha bagunça e envio para Luciano. Ele devolve emojis e figurinhas engraçadas. Desejo boa viagem e que aproveite ao máximo o retiro.

Salto da cama com a ideia de preparar um lanchinho para depois finalmente encarar essa mala. Se minha mãe entrar no quarto e me flagrar deitada com a mala vazia, terei de ouvir a mesma reclamação que escutei de manhã. Abro a porta do quarto e sigo para a cozinha trocando mensagens com Pilar e Bruna, tão eufóricas quanto eu por nossa primeira viagem juntas.

Além disso, também vai ser minha primeira viagem sem meus pais. É um marco na vida de qualquer garota adolescente. Mal posso esperar pelos dias que virão. Sozinha com as amigas, mar, sol, água de coco e muita diversão. É tudo que uma garota espera das férias.

Monto meu sanduíche com uma dancinha animada e encho um copo de Coca-Cola geladinha. Um vento forte atravessa o ambiente da cozinha, e escuto um barulho de porta se abrindo num clique. Inclino a cabeça no corredor e vejo que é a do quarto de mamãe. Quando me aproximo para fechar, tenho um vislumbre dela ajoelhada na beirada de sua cama. Dali posso ouvir os sussurros de sua oração. Prestes a encostar a porta para não atrapalhar seu momento íntimo, ouço meu nome e paraliso com a mão na maçaneta.

— Dá a ela, Senhor, amor por tua presença e tua Palavra. Que minha filha encontre prazer em ti, e não nas coisas deste mundo. Atrai o coração dela para ti. Que ela não desperdice sua juventude, mas que possa consagrá-la a ti, reconhecendo-te verdadeiramente em todos os caminhos que ela trilhar.

Sei que não deveria estar ouvindo, mas é inevitável. Suas palavras carregadas de emoção me atraem.

— Tu sabes que ela pertence a ti, muito antes de nascer. Ela é tua, Pai. Faz que ela se lembre disso todos os dias de sua vida. Por favor, livra a Rochelle de todo mal, de toda tentação. Protege minha menina nessa viagem. Sei que teus olhos nunca se afastam de nós. Também te peço que me ajudes a entendê-la e ser uma boa amiga. Tu sabes, Pai, quantas vezes oro para que ela veja uma amiga em mim.

Muito bem. É o suficiente. Encosto a porta com cuidado e volto de fininho para meu quarto.

* * *

Não terminei minha mala de propósito. Depois de ouvir partes da oração de minha mãe fiquei sentindo como se tivesse uma pata de elefante no peito. Ela estava lá, de joelhos por mim, enquanto eu ainda reluto com o pedido de desculpas entalado na garganta. Sei que mamãe está triste pela distância que coloquei entre nós. Preciso resolver as coisas. Assim, no instante em que ouço seus passos pelo corredor, entendo que ela encerrou seu momento de oração.

Grito de cima da cama abarrotada de roupas:

— Mãe!

Leva segundos para que sua cabeleira castanha apareça dentro do quarto. Mamãe está de bermuda de linho preta e uma blusa listrada da mesma cor. Seu rosto parece sereno.

— Oi, filha — ela diz, metade do corpo para dentro, ainda segurando a porta entreaberta.

Jogo os olhos para a bagunça ao meu redor.

— Não consigo escolher o que levar. Quer me ajudar? — reforço o pedido com olhos pidões e um beicinho de desamparo.

Mamãe dá um aceno suave, larga a porta escancarada e vem ao meu socorro.

— Podia ter me deixado arrumar durante a semana. Que mania você tem de fazer tudo em cima da hora.

— Fazer o quê, sou assim — quico os ombros, e os cantinhos de sua boca se erguem.

Ela se acomoda na beirada da cama e começa a dobrar minhas blusas. Separo os shorts, os biquínis e maiôs. O silêncio me incomoda, e aciono uma playlist baixinho pelo celular. Os acordes de "Pequenas alegrias" nos envolvem suavemente. Observo mamãe continuar a tarefa não só de dobrar roupas como também de organizá-las dentro da mala. Se dependesse de mim, apenas jogaria tudo e, óbvio, depois me sentaria para fechar. Imaginar isso me faz soltar um risinho. Mamãe me encara como se dissesse "*o que foi?*".

— Obrigada por me ajudar, mãe — digo. — Não fosse a senhora, apenas iria jogar tudo dentro da mala de qualquer jeito.

— Bem a sua cara — ela ri, guardando produtos de higiene pessoal.

— Mãe... — começo um tanto incerta, dando atenção ao par de meias soquetes azuis que seguro.

— Ah.

— Eu... — hesito. Por que é tão difícil pedir desculpa? Minha língua parece pesada.

— O que foi?

— Nada, é que... — belisco o lábio entre os dentes embolando o par de meias e o arremessando dentro da mala. Minha mãe resmunga e pega o par guardando dentro do saco organizador no compartimento dentro da tampa da mala.

Okay. Basta dizer de uma vez, Chér.

— Mãe, eu queria pedir desculpas por ter gritado com você naquele dia.

Reúno coragem para sustentar seu olhar quando ela pousa suas esmeraldas em mim. Há um brilho de surpresa nelas. Como ela não fala nada, tomo seu silêncio como encorajamento para continuar:

— Sei que me excedi e... — Ajeito as dobradas pernas sobre a cama. — Você me deixou chateada com sua atitude, eu fiquei muito brava, mas não tinha o direito de gritar com você e dizer coisas ruins. Desculpa, mãe — peço, por fim, baixando os olhos para minhas mãos.

— Claro que te perdoo, meu amor.

Libero o ar que nem me dei conta de estar segurando.

Mamãe larga minha calça jeans, arrasta a mala para um lado e se senta à minha frente. Sua mão acaricia a minha. Ergo o queixo e encontro seu olhar pacífico e acolhedor.

— Eu não quis chatear você, essa não foi e nunca será a minha intenção. Por que eu faria alguma coisa só para te aborrecer? Não — ela balança a cabeça para os lados. — Nada do que disse para a mãe daquele menino foi premeditado. É que não consegui ouvir as asneiras daquela mulher — ela entorta os lábios com desgostos — e ficar quieta. Lamento que isso tenha chateado você, mas eu não podia deixar de defender minha filha.

— Eu queria que você não tivesse falado nada, mas — suspiro fundo — de alguma forma eu entendo, mãe. Olha, podemos deixar isso para trás? Toda a situação com aquele garoto é algo que nem gosto de ficar lembrando. Quero mesmo deixar no passado.

Ela parece compreender meu pedido. O sorrisão que ela exibe faz que eu me incline para deixar um beijo em sua bochecha e dizer as palavras que eu sei que ela adora ouvir.

— Te amo, mãe.

— Ai, filha — sua voz amolece, e ela me abraça tão apertado que peço rendição.

Sinto o coração mais leve. O que um pedido de desculpas e uma reconciliação não fazem.

A música muda, e retomamos a arrumação da mala.

Após um tempinho, conversando coisas aleatórias, conto para minha mãe sobre a situação dos pais de Pilar. Ela fica triste e fala que vai ligar para a Osana a fim de oferecer todo o suporte que puder. Agradeço a mamãe por se preocupar com a família de minha amiga. Pilar precisa muito de nós agora.

— Sua avó quer jantar conosco — ela avisa, depois de alguns minutos. — Tudo bem? Disse que você tinha pedido que ela fizesse nhoque esta semana, mas como estava tão ocupada não conseguiu. Queria cozinhar hoje, já que você viaja amanhã.

Hum, ela estava ocupada... sei bem o que ou quem a deixou ocupada.

Ainda não tenho nada concreto além do que meus olhos viram e da caricatura ridícula que fiz. Por culpa dos dias puxados de estudo e provas finais, não pude bancar a detetive. Porém, tenho certeza de que o tal fazendeiro visitou vovó mais vezes na loja, pois nos dias em que fui até a casa dela encontrei flores frescas. Dá para acreditar que ela está saindo com alguém e escondendo de todos nós? Isso me deixa tão indignada.

Será que mamãe está mesmo no escuro como eu?

— Mãe, você... — Baixo os olhos para a toalha que dobro. Belisco o interior da bochecha e sondo com a pouca coragem que tenho. — Você acha que vovó gostaria de ter alguém?

— Como assim? — Seu franzir no topo do nariz me faz estalar a língua nos dentes.

— Tipo, um namorado, marido — esclareço sem demonstrar interesse no assunto, como se fosse só uma conversa sem sentido.

— De onde tirou essa ideia?

— É que... — *Vi vovó com um peão de Barretos.* — Bom, ela é sozinha e talvez se tivesse alguém... — Escolho as palavras para não revelar tudo o que sei.

Pego meias para embolar os pares e mamãe alisa um vestido meu.

— Não, mãe, vestido eu não vou levar — descarto com a mão.

— É um ambiente praiano, vai estar muito calor e, provavelmente, do jeito que você é, vai torrar no sol. O vestido é leve e fresquinho. Melhor levar.

— Tá, tá — gesticulo para que ela dobre o vestido de uma vez.

— Sua avó já deixou claro que não pretende se casar de novo — mamãe retoma o assunto. — Já perguntei isso a ela faz anos e sempre é a mesma resposta. Não acho que ela se sinta sozinha, minha filha.

— Hum...

E se não for por se sentir só e sim por estar apaixonada?

Seguro o pensamento que quase escapa de minha boca. É melhor deixar esse assunto quieto até eu ter mais provas de que vovó está de fato namorando. Após as férias ela não me escapa.

— Por quê? — minha mãe me fita com certa diversão. — Você quer casar sua avó com alguém? — e agacha para pegar meu par surrado da Vans.

Dou uma risada falsa como se a questão fosse de fato uma piada.

É melhor trocar a conversa.

— Já avisou meu pai que combinamos de eu mandar prova de vida todos os dias às nove da manhã e da noite? — toco no ponto que rendeu o que falar nesses dias. — Não quero meu pai enchendo meu zap de mensagens, mãe. Por favor, controla o pai.

— Dá um desconto, filha. Ele nunca deixou você ir tão longe sem nossa companhia, ainda mais por dez dias. Está tão nervoso com sua viagem que até saiu de casa para ir ao hortifruti — comenta com risinhos. Comprar comida no hortifruti era sinônimo de terapia para meu pai. — Prometo que vou amenizar ao máximo a ansiedade de seu pai, mas seja razoável. Não custa responder às mensagens dele, mandar fotos, falar que está bem, que o ama, essas coisas de que ele gosta.

Eu a encaro com minha melhor expressão de *"tá falando sério?"*.

— Meu pai é um grude, mãe — reclamo. — É irritante e desnecessário na maioria das vezes.

— Ele é um pai e as preocupações dele são válidas. Seja razoável, sim?

— Nove da manhã e nove da noite — reafirmo determinada. — E ele que lide com isso.

"Seja razoável." Como se papai fosse razoável. Só esta semana ele repassou incontáveis vezes todas as regras que elaborou para que eu pudesse viajar, além de todas as tentativas de me dissuadir da viagem. Apelou para o suborno. Dá para acreditar? Às vezes ele é inacreditável. Até parece que eu iria desistir da viagem para ficar com ele e minha mãe em casa.

— Acho que terminamos? — avisa ela. — Vamos repassar a lista?

Concordo abrindo o app de notas para dar um check na minha lista.

Sinto o nervosismo fazer cócegas na barriga ao perceber que estou quase pronta para viajar.

— 44 —
Enfim férias!

Às nove horas de uma segunda-feira ensolarada, meus pais me deixaram na casa de Bruna. Meu pai repassou toda a sua lista de proibições enquanto tirava minha mala superpesada do carro e mamãe me envolvia em seus braços com carinho dizendo "*Deus te projeta*", "*Se cuida*", "*Juízo*" e por fim "*Amo você, filhota*". Disse que a amava de volta. Vi que seus olhos encheram de lágrimas de repente. Ela estalou um beijo no topo da minha cabeça e eu a envolvi com meus braços. Disfarcei o momento embaraçoso, e foi ótimo quando Bruna veio nos receber tão eufórica que ficamos as duas confabulando sobre a viagem.

Assim que meus pais partiram — porque eu obriguei os dois a irem embora —, fui ajudar os pais de Bruna, tio Beto e Danda, a colocarem as inúmeras malas, cadeiras, bolsas e sacolas de comidas dentro do carro de sete lugares. Pilar chegou nesse meio-tempo com alegria estampada no rosto maquiado e mais malas. Foi o caos das malas. Havia tanta coisa para guardar no carro que levamos quase duas horas para enfim pegar a estrada em direção a Búzios. Minha barriga estremeceu com a ansiedade que só crescia porque Bruna e Pilar recapitulavam tudo o que faríamos para nos divertir em nossas férias juntas.

Para o azar de nossa empolgação, ficamos num engarrafamento monstruoso na ponte Rio-Niterói e depois encontramos mais trânsito na Região dos Lagos. Era como se todo mundo tivesse tido a mesma ideia de sair de férias naquele momento. Tio Beto reclamava da moleza dos outros veículos, com direito a cabeça para fora da janela e xingamentos. Tia Danda resmungava do jeito estressado do marido, Bruna estava tendo algum tipo de DR com Dinho por mensagens porque teclava furiosamente no celular, Pilar dizia estar enjoada com o para e anda na pista, eu sentia meu estômago se contorcer de fome — sério, estava quase virando um Smurf, e os irmãos de Bruna, bom, um não parava de soltar gases e o outro toda hora ameaçava vomitar.

Em suma, um verdadeiro caos.

A viagem de carro para Búzios durou seis infindáveis horas. Ansiei desesperadamente pelo instante em que finalmente colocaria os pés em terra firme, longe do ar poluído de dentro do carro depois de uma série generalizada de vômitos.

Quando o carro enfim entra na ruazinha de paralelepípedos irregulares, ladeada por coqueiros altos, meu ânimo é renovado. Tio Beto estaciona em frente a uma casa de dois andares pintada de branco e azul, no estilo praiano que acho adorável. Na calçada, noto a grama repleta de pétalas rosas das duas árvores ao lado da entrada, cujos galhos floridos cobrem a porta de madeira azul. A casa dos tios da Bruna é tão bonita que apenas observar já me enche de alegria.

Descemos todos do carro num empurra-empurra e explosões de alegria.

Estou descalça porque não aguentava mais os tênis apertados. Piso na grama meio úmida que faz cosquinhas nos dedos dos pés. Abro um sorriso puxando o ar com vontade para apreciar a brisa da maresia. Meus cachos esvoaçam sobre o rosto, mas não me importo. É o paraíso respirar esse aroma. Agradeço a Deus em voz baixa por chegarmos bem.

— Preciso me deitar — Pilar geme do meu lado e apoia seu corpo fraco em mim. Seu rosto está pálido e os lábios ressecados. Depois de seu terceiro vômito, parei de contar. Tadinha, sofreu na viagem. Pilar geme outra vez. — Quero dormir, Chér.

— Dormir coisa nenhuma — dispara Bruna com uma expressão ultrajada. Ela encaixa os óculos de sol no nariz arrebitado e solta os cabelos dourados, que são empurrados para trás por causa do vento. Suas mãos se encaixam na cintura como minha mãe costuma fazer quando está irritada. — Não vamos desperdiçar uma única hora nestas férias, estão me entendendo? Precisamos cair no mar, energizar e relaxar. Nada de dormir — Bruna sacode a cabeça descartando a possibilidade.

A fim de não contrariar Bruna, já toda irritada após ter sido alvo duas vezes do vômito do irmão caçula, seguro a vontade de dizer que também quero me deitar.

— Bruh, eu estou cansada — Pilar fala e tenta me abraçar pela cintura, mas seus braços molengas escorregam. Seu bafo azedo me atinge. Torço o nariz e afundo em seus cabelos que cheiram a morango. Bem melhor. — Vou dormir só um pouquinho.

— Escova o dente antes, tá? — aconselho recebendo um beliscão no quadril. — Ai, Pilar. Só estou sendo uma amiga que avisa quando a coisa tá feia, ou fedida, no seu caso.

— Ela precisa escovar os dentes e eu tomar banho — Bruna encara seu corpo com repulsa.

— Meninas, ao menos peguem as malas de vocês — tia Danda pede com a cabeça dentro da mala aberta do carro.

— Tá bom, tia — respondo me desvencilhando de Pilar para ajudar tia Danda.

— Vamos fazer o seguinte — diz Bruna colocando sua mochila num ombro. — Beber água, esticar as pernas, escovar os dentes. — Ela dá uma risadinha e Pilar sopra bem na cara dela. — Sua idiota! — explode Bruna estapeando o braço de Pilar que ri. — Eca! Você tá podre, Pilar.

— Já se olhou no espelho? — devolve Pilar entre risadas.

— Como eu estava dizendo... — retoma Bruna da calçada arrumando os óculos no nariz. — Em quinze minutos podemos nos arrumar e partimos para a praia.

— Bruh, ainda temos nove dias de férias — choramingo sem a menor vontade de ir para a praia agora.

— O dia de hoje ainda não acabou, esse solzinho de fim de tarde é uma delícia. Aposto que a praia está movimentada e nós vamos aproveitar. Bora, meninas! — Bruna pendura um braço no meu ombro e outro no de Pilar quando começamos a entrar na casa. — Nós três, o mar e um pôr do sol? Vão dizer não para isso?

Havia como dizer não para uma Bruna tão mandona?

Meia hora mais tarde, seguimos as três em direção à praia.

A brisa suave me atinge antes de chegar à areia fina. Inspiro com satisfação o cheiro do mar. Um cacho se embola e gruda nos meus lábios trazendo um gosto de sal à boca. Esboço um sorrisinho retirando os fios e logo sou arrebatada pela visão do entardecer, que pinta o céu de laranja e lilás no horizonte sobre as águas. É estonteante! A hora dourada é uma das minhas prediletas.

Ali, com o chinelo nas mãos e os pés cobertos de areia morna, penso em Deus. É impossível não encarar essa imensidão azul e não lembrar do Criador. Dá para acreditar que o Senhor todo-poderoso que criou toda essa paisagem linda a partir de sua palavra também me fez? Que aquele que pensou na disposição dos planetas, na quantidade de estrelas, nos limites do mar, pensou em mim? Às vezes essa constatação é bastante chocante. Parece irreal que um Deus assim tão grande saiba quem eu sou, uma garota tão pequena.

Só que ele não apenas sabe, mas também me conhece e me ama como ninguém. Então me lembro de uma canção que adoro, "Daughter of the King", de Jamie Grace. Ela se tornou tão especial para mim que cantarolo trechos nos pensamentos.

> *The Maker of skies*
> *The Maker of seas*
> *The Maker of every beautiful thing*
> *He made you, made you too*
> *The mountain high*
> *The river wide*
> *He tells the sun when to set and rise*
> *He made you, made you too*
> *You're a daughter of the King*
> *So tell me what does that make you?*
> [O Criador dos céus
> O Criador dos mares
> O Criador de tudo que há de belo
> Ele fez você, fez você também
> A montanha alta
> O rio largo
> Ele diz ao sol quando se pôr e quando nascer
> Ele fez você, fez você também
> Você é a filha do Rei
> Então me diga: quem você é então?]

Agora eu entendo isso. Sinto aqui no meu coração. Por um tempo, eu me esqueci de quem ele é e de quem eu sou nele. Sou sua filha, sua princesa, alvo de seu amor e perdão. Esqueci que ele me convida para um relacionamento honesto e profundo. Enquanto buscava um amor passageiro, ele me esperava de braços abertos com um amor sólido e duradouro. O amor verdadeiro, único e incomparável. Enquanto eu fazia de tudo para um garoto me notar e me amar, eu já era notada e amada antes mesmo de nascer. Quando bebi de poças salgadas, ele me fez experimentar águas doces. Oceanos inteiros, como esse à minha frente, não se comparam com os oceanos de amor de Deus. E são neles que desejo mergulhar por toda minha vida.

É tão intenso, maravilhoso que fica difícil colocar em palavras. Ergo a cabeça para o céu límpido e apenas agradeço.

"Obrigada por me criar e me chamar de filha, Pai. Obrigada por seus livramentos e suas bênçãos. Obrigada por me perdoar, por cuidar do meu coração e cicatrizar minhas feridas. Obrigada por me ouvir e ser meu amigo. Obrigada por estar me mostrando o caminho que devo seguir, e quero segui-lo de mãos dadas com Jesus. Quero que seja o sol nesta minha primavera, que faça o meu jardim florescer. Que os meus dias sejam seus, cada momento, cada fase. Desejo que seja o Deus de todas as minhas estações, e que meu coração seja seu para sempre."

Finalizo minha oração e sinto os cílios úmidos. Disfarço as lágrimas, e são lágrimas de alegria. Meu coração está preenchido e leve. É uma sensação doce e única, e eu sei que vem de Deus.

Tomada de felicidade, fito o céu mais uma vez, apreciando as pinceladas das cores, grata por estar aqui e poder viver essas férias com minhas amigas.

Procuro as meninas, que me deixaram para trás e estão acenando para que eu me junte a elas no meio da praia. Sorrio afundando os pés na areia fofa e morna quando começo a correr para encontrar Pilar e Bruna. Rodeio seus ombros com tanta empolgação que quase caímos na areia. Nossas risadas se misturam e é assim, brincando pela praia uma atrás da outra, envolvidas pelo entardecer alaranjado, que minhas férias se iniciam.

Agradecimentos

Ao Mestre da criatividade, por segurar minha mão e me permitir contar histórias que apontem para ele. Sou grata por servi-lo através da ficção cristã.

Ao meu esposo, por me apoiar nessa jornada. Seu amor, paciência e compreensão são fundamentais em meu ministério. Aos meus filhos, por entenderem a necessidade da mamãe de se trancar no escritório para escrever por longos períodos da semana, e por fazerem "shhh" um para outro quando a mamãe precisa de silêncio. Obrigada também por me ensinarem a contar histórias no meio dos barulhos de uma casa viva.

Aos meus pais, pelo melhor presente que poderiam me dar: a fé em Cristo. À minha mãe, por interceder por esse ministério. À minha avó Rosa, que descansa no Senhor, por instruir meu coração durante minha primavera. Sempre falarei de sua fé firme e serei grata.

A Marcela Cristina, minha discipuladora, que me mostrou que não se tratava de mim, mas das vidas que serão alcançadas por meio daquilo que escrevo.

A Rachel Paiva, por amar tanto a Chér e acreditar na missão deste livro. A Natalia Faelize, por suas palavras proféticas e por me lembrar inúmeras vezes de que as garotas cristãs precisavam desta história.

À amiga escritora Becca Mackenzie, por seu encorajamento e suas dicas de edição enquanto eu escrevia. E a Isabela Freixo, por acreditar que eu conseguiria reconstruir esta história. Vocês foram essenciais!

Às amigas Arlene Diniz, Maria S. Araújo e Thaís Oliveira, companheiras na jornada de *Corajosas*, obrigada por lerem este livro, pelas considerações e por se alegrarem com cada conquista minha. Vocês são prova do cuidado de Deus e de que ele une propósitos.

Um obrigada a toda a equipe da Mundo Cristão, que atuou neste livro para que ele chegasse da melhor maneira aos leitores. Um agradecimento especial ao meu editor, Daniel Faria, por trabalhar em *Meu sol de primavera* com tanta dedicação e carinho. Ao querido Marcelo Martins, padrinho de *Corajosas*, por acreditar no meu ministério e ser tão encorajador. Muito obrigada!

Aos leitores de longa data que acompanham minha trajetória com a Chér, agradeço cada leitura e cada depoimento. É lindo saber que a Chér é amada e especial para vocês. E preparem-se: as aventuras de nossa protagonista estão só começando!

E a você que tem este livro nas mãos, obrigada! Espero que ele tenha tocado seu coração e aproximado daquele que nos faz florescer. Até a próxima história!

Sobre a autora

Queren Ane escreve ficção cristã juvenil desde 2016. Coautora de *Corajosas: Os contos das princesas nada encantadas*, é leitora voraz, apaixonada por contar histórias e propagar a ficção cristã. Mora no Rio de Janeiro com o marido e os dois filhos e serve em sua igreja local, ensinando crianças e juniores.

Instagram: @querenane

Da mesma autora:

Arlene Diniz, Queren Ane, Thaís Oliveira e Maria S. Araújo são autoras de ficção cristã. Em 2018, elas se uniram com um propósito: escrever um livro de ficção cristã juvenil inspirado nas princesas clássicas dos contos de fadas. Esta obra é o resultado de três anos e meio de conversa, planejamento, escrita e oração.

Inspiradas nas florestas, nos bailes e nos príncipes encantados dos contos de fadas, as autoras apresentam a história de quatro garotas comuns, mas com coração de princesa. Conhecê-las é como estar diante de um espelho mágico e enxergar um pouquinho delas em nós. Ainda que nosso dia a dia não seja um conto de fadas, Deus é o roteirista de nossa história. Isso nos permite seguir em frente com confiança e coragem, na certeza de que nada é por acaso e que os planos de nosso Rei são maiores que os nossos.

Compartilhe suas impressões de leitura,
mencionando o título da obra, pelo e-mail
opiniao-do-leitor@mundocristao.com.br
ou por nossas redes sociais

Esta obra foi composta com tipografia EB Garamond
e impressa em papel Pólen Natural 70 g/m² na gráfica Ipsis